クロスワード 春夏秋冬

ニコリ

クロスワード春夏秋冬

第1章 春

1 春らんまんの言葉たち・・・・・ 6
2 大型連休、何をする？・・・・・ 8
3 入試・卒業・そして進学・・・・ 10
4 潮干狩りに行ったよ・・・・・・ 12
5 春が旬の食べ物たち・・・・・・・ 14
6 春の歌を聞きながら・・・・・・・ 16
7 3月3日のお祭り・・・・・・・・・ 18
8 春の自然・・・・・・・・・・・・・・・ 20
9 春の生活や行事・・・・・・・・・・・ 22
10 桜が満開・・・・・・・・・・・・・・・ 24
11 春のまちがい探し・・・・・・・・ 26

第2章 夏

12 夏真っ盛り・・・・・・・・・・・・・・・ 28
13 夏が旬の食べ物たち・・・・・・・ 30
14 海水浴だ！・・・・・・・・・・・・・・ 32
15 山だ！　キャンプだ！・・・・・ 34
16 みんなで行こう夏祭り・・・・・ 36
17 夏の歌を口ずさむ・・・・・・・・・ 38
18 夏の自然・・・・・・・・・・・・・・・ 40
19 夏の生活や行事・・・・・・・・・・・ 42
20 梅雨もまた楽し・・・・・・・・・・・ 44
21 花火がドーン！・・・・・・・・・・ 46
22 夏のまちがい探し・・・・・・・・・ 48

目　次

第3章　秋

23 クロスワードの秋深き・・・・・・50
24 紅葉に目を奪われて・・・・・・・52
25 スポーツの秋・・・・・・・・・・・54
26 秋の自然・・・・・・・・・・・・・56
27 食欲の秋・・・・・・・・・・・・・58
28 読書の秋・・・・・・・・・・・・・60
29 心に残る秋の歌・・・・・・・・・・62
30 秋の生活や行事・・・・・・・・・・64
31 今宵は風流に月見など・・・・・・66
32 芸術の秋・・・・・・・・・・・・・68
33 秋のまちがい探し・・・・・・・・・70

第4章　冬

34 冬がやってきた・・・・・・・・・・72
35 暖かいものあれこれ・・・・・・・74
36 頭をよぎる冬の歌・・・・・・・・・76
37 冬が旬の食べ物たち・・・・・・・78
38 クリスマスのご予定は・・・・・80
39 いいねえ、温泉・・・・・・・・・・82
40 雪がしんしんと・・・・・・・・・・84
41 冬の動物たち・・・・・・・・・・・86
42 冬の生活や行事・・・・・・・・・・88
43 冬の自然・・・・・・・・・・・・・90
44 冬のまちがい探し・・・・・・・・・92

第5章　新年

45 おせちやお雑煮がたっぷり・・94
46 紙上で百人一首・・・・・・・・・・96
47 新年おめでとう・・・・・・・・・・98

答え

春の答え・・・・・・・・・・・・・・・100
夏の答え・・・・・・・・・・・・・・・102
秋の答え・・・・・・・・・・・・・・・104
冬の答え・・・・・・・・・・・・・・・106
新年の答え・・・・・・・・・・・・・・108

なんと季節感にあふれた言葉たちか。

この 本 の 遊 び 方

・この本に載っているのは、季節にちなんだクロスワードパズルと
まちがい探しです。ここでは、そのうちのクロスワードパズルの
遊び方を説明します。

・クロスワードパズルは、カギの文章を読んで思いつく言葉をワク
に書き入れていくパズルです。たとえば「ヨコのカギ」で「1」
から始まる文章を読んで思いつく言葉は、ワクで「1」が書かれ
たマスから始めて右方向に書き入れていきます。「タテのカギ」の
場合は、下方向に書き入れていきます。

・マスに入るのはカナだけで、1マスには1文字だけが入ります。
黒くぬられたマスは言葉の切れ目となり、文字を入れることがで
きません。

・小さい「ッ」「ャ」などは、大きい「ツ」「ヤ」などと同じ文字とし
て扱いますので、大きく書き入れてください。たとえば「ピッチ
ャー」は「ピツチヤー」と入ることになります。

・カギの文章に「→6」「↓13」などと書かれていることがあります。
これは、それぞれ「その問題でヨコの6に入る言葉」「その問題で
タテの13に入る言葉」を表しています。ワクと文章を行ったり来
たりしながら考えてみてください。

パズル作者

猪野裕靖　井本雅博　岩本真理　内野カー　遠藤郁夫

岡戸宗彦　奥山光幸　小椋三寛　加藤秀子　加藤真文

金城正史　清見卓　桑子和幸　小林裕子　竺友信

城田篤　新保謙　髙柳優　竹内恵美子　田畑純子

塚田陽太郎　対馬尚行　坪田識稔　中村和寛　沼億

野池悦子　野中亜紀　畠山モグ　東田大志　百海孝弘

藤崎竜也　三津谷晴子　森陽里　森永麻香　矢野麻里

矢野龍王　山本俊治　吉岡博　相沢薫平　川嶋瑞穂

小瀬旬　原大介　本野しおり　焼田幸一

第1章

春

「我が世の春」という言葉もあるように、
勢いが盛んな時期という意味もあります。

1 春らんまんの言葉たち

新生活が始まる春。この本も春から始まります。

作●たま

➡ヨコのカギ

1　暖かい季節の訪れを告げる、立春過ぎの強い南風

2　船の帆柱。折れたら大変

3　画家が「書き手」ならパズル作家はさしずめこれ

4　晩春に淡い紫色の花を咲かせる植物。別名ライラック

6　ジャコウエンドウともいう春の花。『赤い──』は松田聖子のヒット曲

7　春に黄色い花を咲かせる、アカシアの仲間。サラダの名前にもある

8　近くの場所。すぐそこ

9　春の交通安全──は、毎年4月10日前後に全国的に行われる

11　大　小　ハダカ　カラス　ライ

14　春の七草の1つ。カブのことです

16　「──の物を縦にもしない」というのは、不精であることのたとえ

19　──コンダクターは、桜の名所もいろいろ知っていそう

21　『桜の──』はチェーホフの戯曲

23　──書きは無造作に書くこと。──合いは痛そうで、──込みは物騒

25　材木の表面を滑らかにする道具

27　「飛鳥」と書く、かつての日本の中心。──時代は6世紀末から7世紀前半

29　枯山水の石庭で知られる京都の寺。春に咲く「侘助椿」も見事です

30　洋風炊き込みご飯。中近東起源とか

31　4月に入学したて、ぴかぴかの

32　晩春にふさ状の白や薄紫の花を咲かせる、つる性の植物

35　春が旬の海藻。タケノコと合わせて作る若竹煮もおいしい

36　よりパワーが出る足。右足がこれという人が多そう

38　春、雪解け水が海へと流れていく

40　小麦粉・卵・砂糖などで作る四角い焼き菓子。長崎土産にもされる

42　用意や準備。春先は新生活の──でお金が飛んでいったりする

43　春の七草の1つ。ミツバやニンジンもこの植物の仲間

45　家具の1つ。桐でできたのは高級品

47　お米を柔らかく炊いたもの。小豆入りのものは「桜」のついた名で呼ぶ

49　物質が液体から気体になること

⬇タテのカギ

1　4月8日、お釈迦様の誕生祝い。灌仏会（かんぶつえ）ともいいます

5　春に小花をつける植物。花が多数咲いた様子が、遠くが見えづらい春の気象現象に似ているのが名前の由来

10　ラグビー選手ががっちりと組む

12　ポテトやスイートポテトの断面を彫って作るスタンプ

13　音楽が鳴り終わったときに立っている人が負けの──ゲーム

15　焼き──　水──　揚げ──

17　縮尺1万分の1とか5万分の1とかがあるもの。4月19日は──の日

18　熱いうちに打て、と言われます

20　日本の弦楽器。『さくらさくら』を弾

1		13	17	22			36		46	50
		14				32			47	
2	10			23	28			42		
3			18		29		37			
4			19	24			38			
	11	15		25		33		43	48	
5		16	20		30		39		49	51
6	12			26			40	44		
7				27		34		45		
8			21			35	41			
9					31					

いたりする

21 お坊さんのこと。――服、――侶

22 ねっとり甘い、熱帯産で細長い果物

24 体にたまらないように入浴しよう

26 グランドやアップライトがある鍵盤
楽器。春に習い始める人も多い？

28 春が旬の、豆の仲間。シューマイに
1粒乗っていたりする

32 思いがけないこと。――の災難

33 桜の名所・吉野があるのはこの県

34 今の大阪府東部にあたる旧国名

36 「鳴かずば打たれまい」と言われる日
本の国鳥。春の季語です

37 昆虫の成長の最終段階。春にはチョ
ウの――が見られたりします

39 卵からかえること。春の池には――

したてのオタマジャクシの姿も

41 「花の雲――は上野か浅草か」は、春
を詠んだ松尾芭蕉の句

42 第一志望に合格した！という人は、
こんな気持ちでいっぱいのはず

44 先発出場する選手。「――ティング」と
「バー」が略されています

46 花札で、春の札のうち3枚に描かれ
た色つきの短冊。「あかよろし」「みよ
しの」と書かれています

48 てこの原理の3点は支点と作用点と

50 ゴールデンウィークには、昭和の日
や憲法記念日、こどもの日など国民
の――が目白押し

51 見た目が黒いことから、ある鳥の名
前がついた魚介類。春の季語です

2 大型連休、何をする？
行楽地に行った気分になれるかも？
作●くだぎつね

➡ヨコのカギ

1 ゴールデンウィークの祝日の１つ。柏餅を食べたり菖蒲湯に入ったり

2 万年筆はこれがないと書けない

3 将棋で「飛」と並ぶ強力な駒

4 ボクサーも着たりする丈の長い服

5 内側のこと。――ドア派はゴールデンウィークでもあまり出かけない

6 粉末のような細かい粒

7 噂などを挟むところ。ゴールデンウィークのお得な情報を挟むと嬉しい

8 土俵際で形勢をひっくり返す技

10 パイプやキセルに必要な植物

14 ゴールデンウィークの祝日の１つ。以前は天皇誕生日だった

16 ゴールデンウィークに帰省やユーターンなどで起こりやすい混雑

18 力士が名乗る名前

19 ゴールデンウィークに⊕3をするときに乗る飛行機はこれ

21 せっかくのゴールデンウィークなので少し足をのばして――してみよう

24 持ち物などに名前を書くこと

26 都市部の近くで金が採れるところ？

28 ゴールデンウィークのレジャーで体験したい、パドルでこぐ細長い船

29 生命の危機を覚悟するほどの心構え

32 ゴールデンウィークの祝日の１つ。現在は５月だが以前は４月にあった

34 苦しい時期のこと。2020年のゴールデンウィークはコロナ禍でこうだったかもしれませんが、きっと脱け出せるはず

36 仏壇や位牌がある部屋。ゴールデンウィークで帰省したときにはここでご先祖様にお参りしたりする

38 あとに残る味わい。ゴールデンウィークが過ぎてもしばらく浸ってたい

39 ゴールデンウィークを四字熟語にして最初の２文字を訓読みすると

41 太陽が顔を出したりする空のすきま

44 水面でぷかぷかする釣り道具

45 経路の誘導。ゴールデンウィークにドライブするときはカー―――が便利

⬇タテのカギ

1 ゴールデンウィーク（特に⊖1）にのぼりがあげられる魚

3 ゴールデンウィークにこれをするためにパスポートを取る人もいそう

9 例年ゴールデンウィークに開催される、休日という意味の博多のお祭り

11 人や物を運ぶこと。ゴールデンウィークは――業の鉄道や飛行機が活躍

12 花などからとれる甘味

13 ゴールデンウィークに遊園地に遊びに行ったら回転――に乗りたい

14 シャーペンはこれがないと書けない

15 ゴールデンウィークの渋滞を避けるのに使えそうな本筋じゃないルート

17 年季の入った古い本

19 ゴールデンウィークの家族旅行だとあまり使わなそうな一人部屋

20 ゴールデンウィークの観光地はどこもかしこも――がいっぱい

22 観光地や景勝地で楽しむこと。ゴールデンウィークの——地は大混雑
23 部屋などを区切って分ける壁や線
25 ゴールデンウィークに行く人も多そうな日本の南国
27 眠っている間に見たことと反対のことが起こった
29 DNAなどで世代から世代に伝わる
30 ペットじゃないドッグ
31 言葉のこれがわからないときは辞書や辞典で調べよう
33 国のお金。これで留学する人もいる
35 抑えたり節約したりすること
37 長い間。ゴールデンウィークに合わせて——休暇を取る人も
39 ゴールデンウィークにも仕事をする

人もいますが、あまり——をつめて無理をしないでね
40 漢字のへんじゃない方
42 京の1万倍を表す数の単位
43 外国の映画のこと。ちなみにゴールデンウィークという言葉は映画業界が発祥だとか
45 常温で置いておかない方がいい食品
46 ゴールデンウィークの祝日の1つ。大事な法が施行された日
47 動きが鈍くなること。ゴールデンウィークには渋滞で交通がこうなってしまうことも

9

3 入試・卒業・そして進学

春はドキドキワクワクのシーズンです。

作●藤崎竜也

➡ヨコのカギ

1 まもなく入試。緊張を解くために吸って、吐いて、吸って、吐いて、…

2 …としたものの、試験会場は──がピーンと張りつめていた

3 小論文の問題では、──整然とした文章の評価が高そう

5 1➡20の1➡20倍

6 送辞を述べる卒業生代表として私に──の矢が立った

7 溶けた金属から容器を作るときなどに使われる

8 卒業の日、感謝の気持ちをチョークでここに書き記す

10 「そつぎょうしょうしょじゅよしき」って早口──みたいだね

14 その人が望むこと。第一──の学校に合格できるかな？

16 卒業式に歌われる。原曲はスコットランド民謡

18 米国とカナダの国境にある──の滝。卒業旅行で行ってみてはいかが？

20 百の百倍

21 物事が起こるきっかけ

23 よく侍や町娘や印籠が（？）出てくるドラマや映画

25 削られて、ダシにされて…可哀そうな──節

26 卒業生が集まるイベント。一緒の窓から外を見てたから…ということ？

28 漢字で木へんに「堅」

29 1歳違いの兄弟・姉妹。親は入試や

30 卒業が続く年が多くなり大変です教科書のこと。新しい学年になると新しい物を手に

32 卒業アルバムの片思いのあの子。笑ったときにできる──が可愛かった

35 人とお別れです

36 我が子が遠くの大学へ。↓1を考えると親はズキズキこれを感じるかも

38 言ってはいけない言葉。受験生に対しては「落ちる」「滑る」など

41 受験前、落ち着くために──を一服

43 「置くとパス（合格）」という洒落から入試の縁起物として人気

⬇タテのカギ

1 進学し、一人暮らしを始める子どもに↓27や野菜などを届けること

4 最初から最後までのリハーサル。卒業式に対しても言うのかな？

9 目から──が落ちる…あっ！ 「落ちる」って言っちゃった！

11 乗馬用シート

12 受け取った卒業証書はこれに入れて部屋に掲げている？

13 卒業式には──ゆかしく袴姿で出席

15 新しい学校は遠いけど、歩いて通学することになりました。トホホ

17 ブーケ。卒業の日、受け取った先生は号泣するかも

19 物事の大きさ。大学の入学式は──の大きな施設で行われることもある

20 目をパチパチ

22 ともに学び、ともに遊んだ仲間。卒

業しても親しき仲は変わらず？

24 ジャズの都ニューオーリンズのある米国の州。卒業旅行で行ってみてはいかが？

25 日本語では「追復曲」。パッヘルベルが作ったこの題名の楽曲は、卒業式で使われることもある

27 日々の営みに必要なコスト

28 唐辛子料理が好き…ではなくお酒が好きな人のこと

31 釣り銭をこう言うこともある

33 梅干しの赤色の元。青いものは「大葉」とも呼ばれる

34 親からの①1の箱を開けようとして、カッターで指にこれを作っちゃった

37 山も砂漠も道路も水に覆われていな

いのでコレ

38 学年が上がると地図――、天気――、元素――など習うことが多くなる

39 受験はことごとく不合格。なす――がなくなった

40 進学先は海外。異国の――を踏むことになる

42 卒業の日、後輩が欲しがるのは制服についた百花の王？

44 よく効く薬。入試や卒業式で緊張しないコレはないかなあ

45 インターナショナルスクールはもちろん、公立学校も――化が進んでいて、外国籍の生徒がいたりする

4 潮干狩りに行ったよ

潮干狩りのあれこれと、貝のあれこれ。

作●ヤキオ

➡ヨコのカギ

1 潮干狩りで採れる貝の1つ。深川めしの材料になります

2 海水面の高さが最低になった状態。この前後の時間帯によく潮干狩りをします

3 カイ画をカイたりする人

4 貝と一緒に丼に載っていることもある魚卵。語源はロシア語

6 「機会」を英語で言うとチャンス。では「機械」を英語で言うと?

7 大きな石などを移動するときに、下に敷く丸太

8 平安時代から伝わる遊びの1つ。絵が描かれたハマグリなどを使います

9 潮干狩りでは、木綿でできたこれやゴム手袋をはめたりします

11 心ばかりの贈り物

13 "razor clam"は英名、「マテガイ」は——です

16 深川めしも鯛めしも鳥めしも

19 貸してもらっている土地

21 ——深層水　——保護区　——学

22 囲碁で打つ白黒。白いのはハマグリから作られたりします

23 よくホラ貝を吹く人は、——癖がある?

25 スシに添えられる

27 潮干狩りで採れる貝の1つ。➡1と形は似ているけど、小さめです

29 貝が大量に採れてラッキーだった!今年の——を使い果たしたかも…

30 自分の殻に閉じこもるような性格

32 ホテルの夕食が——方式だったから、好物の貝をいっぱい食べた

35 魚や貝を煮て、塩で味付け

37 いい——で、絶好の潮干狩り日和だ

39 潮干狩りの成果をこの容器の中に集める人もいる

41 切り取った枝や葉を植えて育てる

42 野馬追などが有名な福島県の市。この市の松川浦では潮干狩りもできる

43 子育て。——休業

45 サザエは巻貝、ハマグリは——貝

47 逆さにすると9に似ている数字

49 剣道や弓道で「級」より上

⬇タテのカギ

1 肉の色から名前がついた貝。スシネタとしてもよく使われます

5 干潟に転がっていたりする棘皮（きょくひ）動物。攻撃されると内臓を放出することも

8 螺鈿（らでん）の施されたアンティーク——が気に入って衝動買いしてしまった

10 一辺が海に、残りの二辺が川に面している土地

12 貝に合うといわれている葡萄酒

14 ——的な顔立ちの学者

15 角形のランプ。表面に貝殻を貼り付けているものもあります

17 狙っているもの。お——の貝は採れたかな?

18 自由に使える時間。——を利用して潮干狩りに来ました

20 「汐干より今帰りたる隣哉」は、正

岡——が詠んだ一句

21 潮干狩りで貝はあまり採れなかったけど、親子で——が弾みました
22 パワーが強いこと。——無双
24 「頭」や「顔」の部首はオオガイ。では「財」や「貯」の部首は？
26 華氏で68度なら、——では20度
28 この貝は天然の塩気があるので、醤油などの——を使わなくてもおいしくいただけますよ
31 『桃太郎』のお話で、おじいさんが山に刈りにいく
33 ボディー・ランゲージは身体——
34 島や岬で外洋と区切られている
36 住所が移ること。——通知
38 端から端までの距離。伸ばして読む

と「港」を表す英語みたい？
40 陸地と水が接するところ
41 砂の中に紛れていたりするゴールド
42 面接で——している人物を聞かれた
44 金棒を持つとさらに手ごわい
46 海上などに物体が浮かんで見える自然現象。大きなハマグリがあくびをすると現れるという説もあったとか
48 貝などを濃い味で煮しめた保存食の名前の由来になった人工の小島
50 照明—— 運動—— 医療——
51 潮干狩りで砂をかきだすのに使う、手のような形の道具
52 ホモ・サピエンスは現生——

5 春が旬の食べ物たち

旬に食べると、ことさらおいしい。

作●SEIKO

➡ヨコのカギ

1 竹林で探す春の味覚

2 子羊の肉のこと。イースターによく食べられるものの1つ

3 春告魚の1つ。煮付けにして食べるとおいしい

4 失敗は成功の——

5 アスパラガスや➡1はおもに植物のこの部分を食べます

6 茨城で作られるオトメやイバラキング、熊本のアンデスなどは4〜5月が出荷の最盛期

7 煙突の中に溜まるもの

10 胞子茎はツクシと呼ばれます

12 学校で後ろの席の人に回すことも

13 アーティチョークは花の——を丸ごとゆでて芯の部分を食べます

14 イヤリングをつけるところ

17 若竹煮は➡1とワカメを——醤油などで煮て作ります

19 パセリは肉料理や揚げ物などの——によく使われます

20 ワカメの根元近くにあるひだ状の部分。ゆでて刻むと粘り気が出ます

22 漫才を見て腹の——から笑った

25 祝い事に——付きの鯛を用意した

26 ——料理のザワークラウトは新鮮なキャベツから作られます

28 直接見ることができない事象などを見える形に変えること。可視化ともいいます

29 お父さんはロバ、お母さんはウマ

32 豆ご飯、白エビのかき揚げ、アマゴの塩焼きなど、さまざまな——が食卓に並んだ

35 魚へんに春と書く魚。切り身を西京焼きにすると美味

37 サンショウの若い芽のこと。香りを楽しみます

39 サヤエンドウはカロテンや——Cを豊富に含んでいます

40 草餅に使う緑色の葉

42 芭蕉や一茶が詠んだもの

43 アオリ、ホタル、コウなどの名を持つ仲間がいる魚介

44 ——造りともいうカツオのたたき

45 ほこりや小さなゴミのこと

46 熊本の——高菜や福岡の三池高菜は春に収穫して漬物に加工されます

⬇タテのカギ

1 天ぷらにすると美味しい山菜。ある木の新芽を収穫したものです

4 酢で和えて食べることが多い糸状の海藻。養殖のオキナワ——が広く出回ります

6 ワタリガニの——は内子（腹の中の卵塊）の充実する春が旬

8 彼はその話術で人を——に巻いた

9 ＢＷＨのＢ

11 首都はニコシア。地中海の島国

13 三種の神器のひとつ、天叢雲——

15 丸ごと食べるシラウオからは、カルシウム、マグネシウム、——などの骨によい栄養素が摂取できます

1	8		16	■	26	31	■	43	47
2		■	17	21			■	40	
	■	13			■	32	36		
3	9		■	22	27		■	44	48
■	10		18		28	33		■	
4			19	23			■	45	
■	14				■	37	41		
5	11			■	29	34		42	49
■	12	15		24		35	38	■	
6			■	25	30			46	
7		■	20		■	39			

16 糖分をアルコールに変えます

18 別名はナツダイダイ。改良種が甘夏の名前で知られています

21 ウドの定番料理のひとつ、――和え

23 100なら3、1000なら4

24 ここのかの次です

26 ハブやマムシは持っています

27 新芽を山菜として食べる木。別名、ゴンゼツノキ

30 スズナとも呼ばれる根菜

31 甘酸っぱくて、練乳をかけて食べても美味しいフルーツ

33 新じゃがいもはゆでて――ごと食べることもできます

34 生の桜肉を薄切りにして醤油や薬味で食べる料理

36 起立、礼、――

38 春の山菜の中ではアクが強め。コゴミと同じくシダ植物の仲間です

40 ここではない場所

41 ノビルやアマナ、ツクシは――や土手で見つけられます

43 織田信長から見たお市の方

45 ⊖46もこの1つ

46 完熟マンゴーは熟したとき落下しないように、ひとつひとつの実に――が掛けられます

47 あなたが今読んでいるもの

48 春告魚の1つ。漢字では針魚、鱵などと書く

49 和名はオランダガラシ。ステーキなどの⊖19に使われます

6 春の歌を聞きながら

別れと出会いが似合う季節です。

作●Bon.

➡ヨコのカギ

1 童謡は『○○○○○』
松任谷由実の曲は『○○○、○○』

2 屋根より高く泳ぐ魚

4 学校、兄妹の曲が有名な魚

5 学校のクラス内で、必要に応じて作る数名単位のグループ

6 また会うこと。卒業ソングではこれを誓う歌詞も

7 ワシと同じく猛禽類

8 マイクを握るレジャー

10 深くかわいがること

13 春、新入──の歓迎会の流れで⊖8に行くことも

15 夜も終盤、もう少しで朝がまた来る

17 大仏の頭に多く見られる丸まった髪

20 江戸時代、そして旧民法の時代まで原則として長男が継いでいた、戸主の地位

21 『──時代』『──の影』『さらば──の光』『──アミーゴ』

22 ♪春の──の隅田川

25 童謡『春が来た』で春が来た場所

28 並ではなく、すぐれている

30 童謡『春が来た』で春が来た場所

32 震度0、誰も気付かない──地震

33 コンピューターの扱う文字データ。──ファイル、──エディター

35 神を祭るための施設

37 植物の総称の1つ

39 春のイベントの1つ。『うれしい──』という童謡も

41 歌詞を改変した曲。作者の周りでは『うれしい⊖39』のこれがいろいろ流行ってました

42 神社や寺での祭典の日。たこ焼きや金魚すくいなど露店も出てにぎわう

44 住所を構成する数字の一種

47 仕事の締め切りが近づくほど部屋掃除をしたくなるのは一種の現実──

49 手足に付属しており、爪が付属

51 あなたが落としたのは金の、それとも銀の、あるいは鉄の

53 コンコン、ゴホゴホ

⬇タテのカギ

1 物を収納するための容器。引っ越しでは段ボールが活躍

3 ♪桜はまだかいな、と続く端唄

9 外観や機能などに共通点がある

11 将棋の棋士は四、囲碁の棋士は初からスタート

12 アブラナ科の植物を材料とする香辛料。マスタードも仲間だが、一味とか七味とかのは仲間ではない

14 水族館でショーを見られる

16 卵の可食部に含まれない

18 父と母

19 麻薬及び向精神薬取締法で規制対象

21 単位「平方メートル」の定義に用いられる図形

23 琴や三味線の弦をこうも呼びます

24 サラダやお鍋でたくさん食べよう

26 ──構え　──汚し

27 芬蕉の「春もやゝけしき調ふ月と梅」

16

を記したものが金沢市の本長寺にある

29 吐き出すことと、下すこと
31 サトウキビから作る酒だっちゃ
34 大火事になる前に消し止めた
36 自動車でフロントガラスに付くと視界不良の原因となる
38 →22のカギに登場する『花』を記したものが隅田公園にある
40 →53、痰、発熱などの症状を起こす。原因はウィルスなど
43 雨季と乾季のある熱帯草原。——モンキーはオナガザルの仲間
45 物の端を表す。兄弟でいちばん下の子、１カ月の最後の数日など
46 一般には「——より証拠」だが、麻雀好きは「——よりツモ」と言い出したりする
47 将棋で敵陣突入を果たした歩兵
48 石油ストーブなど暖房機器の燃料
50 この金剛力士像、なんだか独特の香りがするんですが
52 表現や技術が未熟
54 平成期に誕生した比較的新しい曲ながら、いまや卒業式の定番合唱曲となった
55 童謡『さくらさくら』の歌詞に登場する「かすみ」は、気象用語としてはこれのことかな

7 3月3日のお祭り

人形のしまい忘れに注意。

作●Asaka

➡ヨコのカギ

1 ひな祭りは別名──の節句

2 井戸水を──してすぐ使えるようにする

3 コピー

5 幸運！ やったね！

6 お辞儀

7 ヤシの木に似た常緑樹

8 ひな祭りに明かりをつける

11 ひな祭りのごちそう。にぎらない

13 ひな祭りが楽しみすぎて残りの日数を──ダウンしてしまう

15 明朗会計のために他人の目を入れる

16 大丈夫！絶対大丈夫！な態度

18 強い香りのある、キク科──属の植物。菱餅の緑色はこの草の色

20 健やかに成長すれば憧れの──になれるかも？

22 ひな祭りは日本の伝統的な風習だが──には似たような風習はあるのか

24 七段飾りの場合、この動物が引く乗り物を飾る

26 割り算のこと。加減乗──

28 食べ物に赤く色付けするための色素

30 バック── マジック──

32 仕事の方針や姿勢

33 パソコンの相棒になる動物

34 偉い人の敬称。豪快に笑いそう

35 お酒を入れて↓21に注ぐ器。ひな飾りでは三方の上に載っていたりする

37 一応親戚

39 八丈草とも呼ばれる食用の植物

41 瓦ぶきの屋根

43 時期が近付けば『うれしいひなまつり』が流れてくるかも

45 長い間使い込み過ぎて──が来てる

48 ひな人形のメイクは白いのを使っていたのかな？

⬇タテのカギ

1 木材でつくっていること。昔の日本家屋はほぼこれ

4 お菓子の一種。ひな祭りに食べるのはカラフルで甘い

7 両親のママ。2人いる

9 米を包んでいる殻

10 植物はここから芽を出す

12 スポーツにおけるポイントでの追い打ち

14 お祝いに使う、丸ごとの魚

17 ウミヘビよりも太い、長い体の海の魚

18 ひな人形を購入するために銀行で下ろしてきた

19 ステージに立つ人

21 白酒を飲むときにこれに注ぐ

23 ものすごい、──の勢い

25 似ていること。ひな飾りのあれこれは本物に──したミニチュア

27 固い 転がる 大きさいろいろ

28 ひな人形の胴をこう呼ぶことも

29 ひな人形のように──ひとつないキレイな顔になりたい

31 頼り ゆかり

33 日付が変わる頃

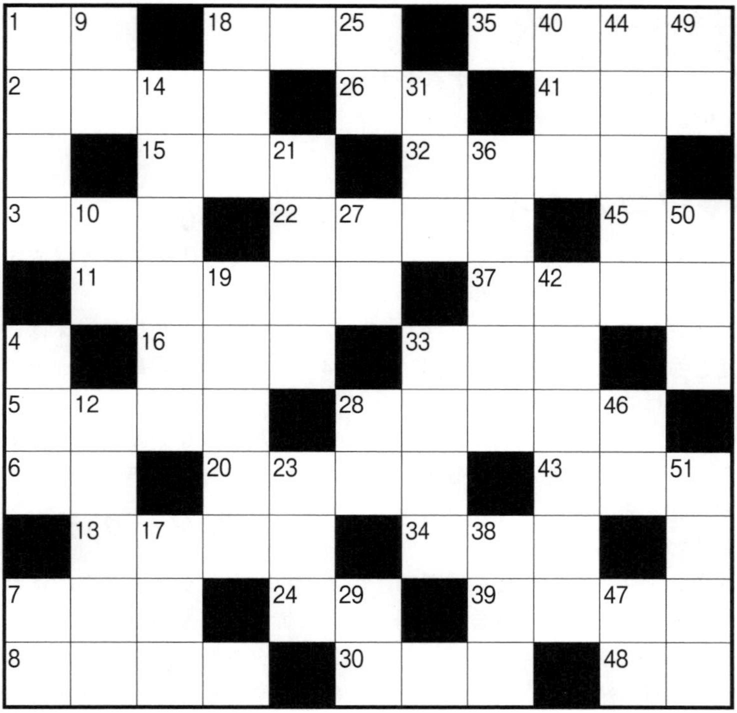

36　ひな人形を含む日本人形の販売店が立ち並ぶ街・浅草橋がある東京の区
38　ガイド付きだったりする旅行
40　双子のこと
42　女雛の髪型。宮中に仕えた女性の、正装の際の髪型です
44　ひな祭りからひと月経ったころ、進級に伴って行われたりするメンバーチェンジ
46　雨上がりの空の美しい橋
47　聞き飽きて耳に――ができる
49　国語・算数・――・社会
50　嫁入り用の家財道具。衣類を収納するものだが、入れっぱなしのものは――の肥やしと呼ばれてしまうかも
51　季節の植物をぺたんこにして保存

8 春の自然
動物も植物も生き生きしてきます。

作●熊金照代

➡ヨコのカギ

1 4つが順番に巡っていきますが、このクロスワードのテーマは春です
2 へま　ケアレスミス
3 春告鳥ともいわれることがある鳥
4 春の花粉症はコレの花粉で起こる人が多い
6 春告魚ともいわれることがある魚
7 有罪とか闇を表す色
9 物事を終わらせるときに引く
10 八十八夜の――。八十八夜を過ぎると天候が安定するので、種まき時期の目安とされます
13 春先の頃に降り続く雨
15 気持ち　気分
17 タイトル　見出し
19 死者を追悼する韻文
20 冴えてるときにはピンとくる
21 人より一歩前を進むこと
22 本書に載っているパズルたちとか
24 猟や漁の対象
25 春の富山湾が有名な、島が浮かんで見えたりする光の屈折現象
27 こちらを立てればあちらが立たずの苦しい状況
29 手本　見習うべきもの
32 金糸や銀糸が輝く織物
33 バンビの産みの親
35 その道の達人
37 経験則から農作業の準備の参考にする、山の残雪がつくり出す模様
38 だしをとったり煮しめにしたりする

海藻
39 学ランのは立っている
41 夜空で春の大三角を構成するおとめ座の一等星
42 奈良時代の花見といえばこの花
44 自動――　回転――　アコーディオン――
46 まとまらない議論に独断で決着をつける――の一声

⬇タテのカギ

1 ウマノアシガタとも呼ばれる、春に黄色の花をつける多年草
5 ボタンが猪肉ならサクラは
8 進学や転勤などで新生活をはじめるときに必要な調度品
9 ギリギリ　すれすれ
11 無罪や純真を表す色
12 大関になったら次は――取り
14 エキゾチック＝――情緒がある
16 見せるための植物が植えてある一画
18 ピザにかけたりする唐辛子ソース。商標名になっています
20 年を取ること。みんな平等に毎年1つずつしていく
22 入学式や入社式でトップが述べる、学校や会社の――
23 新生活を契機にイメージ――
25 本書のタイトルに使われている四字熟語の、別の言い方
26 新しい人間関係をつくるときには、いつも以上に必要かも
28 樹木の間を滑空する夜行性の哺乳類

30 飲み水を沸かしただけ

31 山菜の王様とも称される、トゲトゲの幹からでた枝の先

34 気分が悪いとき感じる。むかつき

35 低く飛ぶと雨が降るといわれる、春～初夏に家の軒下で営巣する渡り鳥

36 矢印に従ってお進みください

38 おもに春、中国大陸から風に乗ってやって来る

39 カンバスを前にして筆をふるう

40 ついたりすったりして穀物を粉にする道具

42 勝負は時の──

43 樹木や草花、広く自然のこともこう呼ぶことがある

45 ホルモン焼きで人気の、豚の胃

47 春、樹木が新芽を出すこと。──柳

48 春に身投げするともいわれる、富山湾のものが有名な発光生物

9 春の生活や行事

日々にメリハリをつけるあれこれ。

作●白銀のオオカミ

➡ヨコのカギ

1 五行説において春に対応する色
2 水飴片手に皆で花咲か爺さんを鑑賞
3 春先にはつららから垂れる
4 通して道理を引っ込める
5 壁をぬる職人が繁栄しています
6 気取っていてちょっと気になる
7 遠くが見えづらくなる春の現象
8 盛上駒や彫埋駒や彫駒を作る人
10 ひとことを言うくらいの少しの間
12 自分の文字をへりくだって表現
14 法の世界での原理原則
16 ほのかにかすんだ月が見える春の夜
18 北欧神話に登場する「ユグドラシル」
　 はこの木であるとか
19 形は鹿、尾は牛、蹄は馬に似てる?
21 おもに生魚を使う日本料理
23 海ほたるパーキングエリアがある市
25 陰暦3月あるいは晩春
27 陰暦3月
29 「春はあけぼの」には含まれている
31 春宮ともいわれる人
33 ドイツ語で木。年輪に見立てた菓子
　 を思い浮かべそう
35 エイプリルフールのとても直截な訳
37 ──小説はトリックが命
39 演出家の合図　ビリヤードで使う棒
41 囲碁では冬から春のタイトル戦
42 ショウガやニンニクは──野菜
44 小生意気な妹からの呼び方っぽい?
46 「春風に一もみ二もみもまれて、海へ
　 さつとぞ散つたりける」の原因を生

み出すもととなった
47 いいか悪いか、賛成か反対か
48 16世はフランス革命で処刑された

⬇タテのカギ

1 東経135度線が通っている証明
4 春はあけぼのですが、こんな色の雲
　 が細くたなびくのがよいそうです
7 パンドラのは開けてはいけない
9 東大寺3月13日の行事
11 弥七が得意な春の季語
13 温泉や石油が出るか、ためしに掘る
14 4月23日はサン・ジョルディの日、
　 あるいは世界──の日と呼ばれる
15 五行説では春に対応する方角
16 タラオから見たワカメ
17 3月10日はこの日です
19 初回は檸檬の味だという
20 ──オブアメリカは国営放送
22 春は桜色や鶯色が多い印象の和菓子
24 成長の⬇1は年輪に現れる
26 ➡21で、ネタが載っている
28 3月の誕生石にもなっているとか
30 このカギは──ではなくタテのカギ
32 くすぐるときに狙う場所の1つ
34 自分が犯人ですと申し出る
36 二十四節気で立春の次
38 陰暦4月
40 バスケットボールで、速攻でシュー
　 トすることをランアンド──という
41 ──に胸を膨らませる春
42 商業組織用のドメイン。ドット──
43 ショベルは採掘や⬇13に使われる

1	9	■	16	20		30	■	41	45	49
2		13			■	31	36			
3			■	21	26	■	37			■
■	10		17	■	27	32		■	46	50
4		■	18	22			■	42		
	■	14			■	33	38		■	
5	11		■	23	28			■	47	
6		■	19			■	39	43		■
■	12	15		■	29	34	■	44		51
7				24		■	35	40		
8			■	25			■		48	

45 中国の伝説上の四神で、春の象徴

47 イースター前の謝肉祭

49 岩よりは小さく、砂よりは大きい

50 ３月３日。日本耳鼻咽喉科学会制定

51 またの──にお会いしましょう

23

10 桜が満開

春の花と言えばこれですね。

作●子バッタ杏樹

➡ヨコのカギ

1 桜を愛でるイベント
2 ——桜堀川夜討（浄瑠璃）、——車、京都——
3 上質なコーヒーの輸出で有名なイエメンの港湾都市
4 桜開花の基準となるのはソメイ——
5 桜肉はこの動物の肉
6 しなりを活用する飛び道具
8 芸能人に多い興味本位の噂話
10 本州で最も早い桜の開花は——の日のころが多い
11 ——の衆は秩序のない集まり
13 昔話で、おじいさんが桜の枯れ木にまいた物
14 桜を愛でた平安時代の歌人・僧侶。歌集『山家集』
16 桜田門外の——
17 桜の異名。新古今和歌集の「ももしきの大宮人はいとまあれや桜かざして今日もくらしつ」の歌に由来
18 甲→——→⬇16
20 都のこと。桜を見に、京都へ上——
21 週末に➡1に行くまであと3日！
23 桜は——科サクラ属
24 ——柄　——菓　座右の——
26 能や狂言の主役
27 西洋風気取り。語源は「高い襟」
28 樹木一（根＋幹）＝
29 桜がデザインされている百円硬貨のおもな材質
32 遠山の金さんが肩脱ぎしたときに見える、その桜吹雪を描いた人の職業
33 誇らしげに語る
35 ↔外皮
36 眼鏡もコンタクトもしないで測るのが——視力
37 桜に惹かれる生き物
38 ⬇34が5枚より多いと——咲き

⬇タテのカギ

1 ➡1用の晴れ着
4 桜の花が散った頃に木から落ちてくるのは孵化したばかりの蛾の——
7 桜島があるのは——県
9 植物が種から生長すること。ソメイ➡4はすべてクローンなので、これにはならない
12 ——焼きは、白と桜色が美しい美濃焼の一作風
13 桜前線は平均すると1日20km程度
15 仲の悪いこと。——同舟
16 火の兄
17 ➡1を風流な言い方で
19 PDCAサイクルのP
21 桜同様、➡4のものが有名な植物
22 蓮の花の上であぐらをかいている。「いぼとけ」ともいう
24 ——革命　——毀損　——挽回
25 ↔偽
26 ぬき身。両手でつかみ取るのは困難
28 桜などの植物は根から吸収
29 よく桜が植えてある川沿いの土地
30 花——とは水面に散った桜の⬇34が連なって流れている様子のこと

31 伝統行事によくある決まったやり方
33 何かを介さず、ダイレクト
34 ソメイ⊖4は5枚
37 桜の原種の起源といわれる地
39 桜の木を切ったことを正直に打ち明
　　けた米国の偉人（作り話らしい）
40 ソメイ⊖4は、オオシマザクラとこ
　　の種を交配したもの

11 春のまちがい探し
作●亜矢眞理

まちがい探しでちょっと気分転換しましょう。春の情景を描いた上下の
2枚の絵には、7カ所の違いがあります。全部探し出してください。

第2章

夏

「アツ(い)」「ネツ」などが語源とされます。
夏負けや夏やせにご用心。

12 夏真っ盛り

涼しい室内でパズルを解くのもまた愉快。

作●原大介

➡ヨコのカギ

1 夏が旬、焼いてもゆでてもおいしい穀物

2 キャンドルの主要な材料

3 うっかり・不注意な様子

4 『因幡の白兎』にも出てくる草。岸辺や湿地に生え、夏に穂をつける

5 イタリアにある地中海最大の島。レモンやオリーブ油の産地でも有名

6 相模湾に面する、海水浴場としても知られる鎌倉市の砂浜

7 アニバーサリーのこと。6月10日は「時の──」

11 火のつき具合。薪の──が悪い

13 夏の午後に急にザーッと降る

15 ビルの一室に入居します

17 栗の実のまわりのこれも、夏は緑色

19 社会的立場や身分のこと。──は人を作る

20 その月の、21日から最後の日まで

22 甲子園球場のアルプス──では、毎夏熱心な応援が行われますね

25 年取った英雄のこと

27 甲子園球場の応援で作ることもある、大勢で大きな絵や単語を描くやつ

29 清太と節子の兄妹の終戦期の姿を描いたアニメーション映画。野坂昭如の小説が原作

31 熱中症の予防には、首、脇の下、足の付け根など、太い──が走る場所を冷やすと有効

32 うちにある、タンスとか机とか

33 お金の出入りを整理する技法。単式や複式があります

34 荷台に積み入れたものを、あらためて外へ出すこと

35 国民の祝日。通常7月の第3月曜日

37 クマ、アブラ、ミンミンなどがいる夏の虫

40 日当たりの悪い土地のこと

43 温めない、温度の低いお酒

45 やや黄色がかった赤

⬇タテのカギ

1 盆の終わり、あかりを灯して川や海に漂わせ、魂を弔います

6 熱湯をかけたり、熱湯の中をさっとくぐらせたりする料理の手法。ハモの──は夏の京都の名物

8 ヤゴが陸上に出て、トンボの成虫になりました

9 よく似た絵の違う箇所を探すパズル、──探しはこの本にも載ってますね

10 夏のころが旬の、ピンクな果実

12 沖縄では5～6月くらい、関東だと6～7月くらいの多雨な期間

14 「──が行く」とは、なるほど～、とよくわかること

16 外で泊まる。英語でいえばキャンプのこと

18 夏の夜を、爆音と光で彩る

21 台所の、こんろがある設備。オール電化の家はこう呼ばない？

23 腕── のど── お国──

24 負けの色が黒なら、勝ちの色は？

1		10	16		24		34	38		46
		11			25	30				
2	8		17	21		31			42	
3		12		22	26					
		13	18				35			47
4	9		19			32			43	
5					27			39		
			20	23				40	44	
6		14				33	36		45	
		15			28		37	41		
7					29					

26 座らない。──仕事、──稽古

27 「鉄板の上にいるような暑さ」「まるで滝のようなゲリラ豪雨」

28 家から駅まで──5分でも、夏は汗びっしょり

30 夏は天かすとかとろろとか大根おろしが載った、冷たいものを食べがちな麺

32 ガガンボともいう、大きい蚊みたいな虫

34 夏の空に高く湧き上がる

36 刻みタバコを詰めて、吸う道具

38 滋賀県にあたる旧国名

39 ほかの人を挟まず、──談判だ！

41 カヤやワラで作った雨具。腰──、隠れ──

42 国民の祝日。通常8月11日

44 毎年6月の⊖20に来ることが多い、昼がいちばん長くなる日

46 徳島・香川・愛媛・高知。夏開催のよさこい祭りと阿波踊りは、──三大祭りに数えられることも

47 「始めました」という文章で涼を感じる麺料理

29

13 夏が旬の食べ物たち

しっかり食べれば、夏バテなんて怖くない。

作●まいなすよん

➡ヨコのカギ

1　夏が旬の農作物の1つ。外見は緑地に黒の縞模様、食べる部分は赤が鮮やかというものが多い。——割り

2　夏が旬の魚介類の1つ。とげとげに守られた高級品です

3　装飾品となる球状のもの。貝の中で成長します

4　木と森のあいだ

5　細かな水滴が空中を浮遊し、見通しに影響がある状態。霧よりは薄い

6　おすもうさんが準備運動で踏みます

7　30代のことではなく30歳のこと

9　夏が旬の魚の1つ。刺身にすると↓22にそっくり

10　おのおのの立場にある、事情やわけ

12　餅や饅頭の中にあります

13　夏が旬の貝類の1つ。煮たりステーキにしたりのほかに、水貝なんていう涼しげな食べ方もあります

14　くいとめること

15　夏が旬の農作物の1つ。表面に網目を生じる品種もある

16　ほめるべき品性。『——のよろめき』

17　↓12やサバ、イワシは——魚と呼ばれたりもする

18　視力補正やおしゃれのために使う

19　脇目もふらず、ひたすらひとすじ

21　夏が旬、では、実はないらしい。ですが、蒲焼はやはり夏、特に土用の丑の日にいただきたい

22　ひとまずこれで、な状態

23　イタリア料理で使う小麦製の食材

24　夏が旬の海産物の1つ。海のパイナップルと呼ばれることも

25　夏が旬の野菜の1つ。そのままで味噌をつけて食べたり、千切りにして冷やし中華の具にしたり

27　しらんぷり

28　初夏の端午の節句にいただくおもち

29　夏が旬の野菜の1つ。とうがらしの仲間ですが、市場に出るもののほとんどは辛くない

30　初夏が旬の1つである魚。高知の郷土料理の、ショウガとニンニクを利かせた土佐造りがおいしい

31　プールから上がって汗を拭うときに

32　料理のさしすせその「さ」。地域によっては↓35にかけたりもするとか

33　なかみがなにもない

34　冷やし中華にはこの味のたれも合う

36　弓矢や銃の競技で狙われます

⬇タテのカギ

1　数や文字を演算記号で結び、数学的な意味を持つようにしたもの

4　夏が旬の1つである。湯引きなどにしていただく。関東より関西で身近

6　夏が旬の種類もある二枚貝。夏が旬のそれは「土用——」と呼ばれる

8　処理をおまかせします

9　夏の豆腐料理といえばこれ。料理というには簡単すぎるかも

11　ローラーなどで平地にすること

12　夏が旬の魚の1つ。フライや刺身や

13 夏が旬の魚の1つ。塩焼きや背越膾(せごしなます)でいただきます

14 夏の麺料理の1つ。うどんや冷麦に似ているけれども、それらより細い

16 初夏が旬の果物の1つ。桃と同じく、甘くおいしいですが種が大きい

17 普通なら目覚めて最初に食べる

20 夏が旬の魚の1つ。水面からジャンプする。刺身や干物がおいしい

22 夏が旬の魚の1つ。刺身にすると→9にそっくり

24 特に、↓4の調理で必要な処置。怠ると、食べたときに口の中が細かく傷ついてしまうかも

26 美しい声はこれを転がすよう

27 夏の飲み物といえば、の1つ。名前の割にカフェインは含まれない

29 夏のおいしいもので——鼓を打つ

30 小腹がすいたらつまんでしまう

31 地域密着型の記事が載る冊子

33 夏の冷たい甘味の1つ。基本的に味や香りはかけるシロップによる

35 夏が旬の野菜の1つ。熟すと真っ赤になる。リコピンが豊富です

37 夏が旬の野菜の1つ。ネバネバがスタミナのためによさそう

38 ○

39 夏が旬の果物の1つ。サクランボ。——忌は太宰治の忌日

14 海水浴だ！

砂に答えを書いた。次の波に消された。

作●オグランド

➡ヨコのカギ

1　海水浴では定番のフルーツ粉砕競技
2　海と陸が接するあたり。みぎわ
3　亀の――より年の――
4　電気を帯びた原子や原子団
5　野菜ジュースのオレンジ色担当？
6　トスした結果で先攻・後攻を決めたりする
7　海水浴、解禁です！
9　させないよう抑えつけること。――効果
13　水着の上から巻く。もともとはタヒチの民族衣装
15　↔輸入
17　下――　武家――　お化け――
18　浜辺でも拾える、ヤドカリの家
20　山の日生まれの人は12星座占いでは
22　かつて東洋のベニスとも称された、大仙陵古墳（仁徳天皇陵）を擁する大阪府の市
24　艶やかさを秘めたる首筋
26　ドラえもんの寝床
27　威嚇されて喪失すれば敗色濃厚
28　➡32にしたくない人はぬります
29　串――　――丼　ハム――
30　浜辺に落ちててほしくないかけら
32　海水浴後の穀物系スキンカラー
34　浜辺に落ちててほしくないワレモノ
36　なんとも険悪な雰囲気
38　子どもに人気のぷちぷち食材
39　「縁」の読み方のひとつ
41　浜辺は➡30や➡34もあるので、これよりもサンダル履きがオススメ
44　灯台――暗し

⬇タテのカギ

1　夏の浜辺のは暑くて➡41だとアチチ
3　着替えること。海の家にはシャワー付きの――室があるところも多い
5　浜辺に⬇46を敷いてじっくり――浴
8　達成すれば偉人と呼ばれる？
10　海の家のメニューにもあったりする、はんぺんや大根などの煮込み料理
11　――不明　――深長　無――
12　優秀賞までは届かない栄誉ある作品
13　ベーグルやバゲットはこれの一種
14　海に入る前には、入念に――運動をしましょう
16　最近の海の家は、若者向けにお――なものも増えています
18　⬇35セーバーがコレをしてくれているから、安心して海水浴できます
19　預金していると得られるお金
21　満ちゆく海の波音。三島由紀夫の小説の題名にも
23　カナヅチだと水に顔をつけるのにもコレが要ります
25　月に代わってお――よ！
27　きわめて短い時間。――的
28　海水浴場でコレを防ぐにはパラソルが最適
29　➡2と同義。英語ではbeachやcoast
31　海水浴は楽しいけれど、水難――には気をつけましょう
33　「オラオラ」という感じの――的な態

1	8	12		19	■	28		37	42	45
2			■	20	25		■	38		
■	9		16	■	26		33		■	
3		■	17	21		■	34		43	
	■	13		■		29	■		■	
4	10		■	22			■	39		46
■			18			30	35		■	
5		14		■	27			■	44	
	■	15		23			36	40		■
6	11		■	24		31	■	41		47
7				■		32				

度は嫌われます

35 海水浴場の安全を守る——セーバー

37 今まで経験した仕事など。——詐称

39 Mより小さいサイズ

40 ぼたもちとほぼ同じお菓子

42 フグが持つテトロドトキシンなどが有名

43 浜辺を彩るセパレートの女性用水着

44 環境——に配慮して、海水浴などで出たゴミは必ず持ち帰りましょう

45 紫外線を吸収して肌を守るように働くのが——色素

46 これを浜辺に敷いて海水浴をのんびり楽しもう

47 子どもたちが①1で築く建造物

15 山だ！　キャンプだ！

空気がおいしい。外で食べる料理もおいしい。

作●小見枝まや

➡ヨコのカギ

1 アウトドアで使う燃料。こぼさないように気を付けて

2 木の切り株に見られる模様

3 封書を送るために貼ります

4 ↓38を刈る道具

5 自分好みの大吟醸(だいぎんじょう)など。こう思うのは人それぞれですね

6 登山やキャンプで使う、携帯式の調理器具

7 野球の攻撃の作戦としてどう組むかが大事

8 アウトドアで使う燃料。現地調達もできます

12 役に立つこと

14 いつも会っている友だちに絵葉書を出したくなったりしますね

15 1、3、5、7、9…

17 トマトに多く含まれている色素。3文字目は「ペ」と書くことも

19 いかにもキャンプ、という調理方法

21 タイヤがはまっている部品

22 レトルト食品を温めるために必要

24 山道で遭遇してびっくり！　オスは大きな角があります

25 ➡33の中でこれに入って寝ます

27 山道で遭遇してびっくり！　2本足で立っていました（英語で）

28 大型の水生昆虫。国によっては高級食材

29 キャンプで使う照明器具

32 卒業したら国家試験を受けて病院に

33 キャンプ場についたらまず広げて

34 野球でヒットのこと

35 東京にある地名。ミシュランガイドに載った山があります

36 キャンプはみんなで楽しまないと、――がないよ

37 刺されたら大変！

⬇タテのカギ

1 ジュージュー焼いたら、かたい部分に気を付けてガブリ！

6 「ヤッホー」　　　「ヤッホー」

9 ➡15のカギの1文字め（英語で）

10 刺身に添える

11 練習会に――する人は連絡してね

13 この状態のコーヒー豆やゴマは最高

15 さっきまで晴れていたのに土砂降り

16 ピ～ヒョロロと輪を描いて飛ぶ

17 ふわふわの長いしっぽがキュート

18 晩ごはんの片付けが終わったら星を見上げるのも楽しいです

20 世界ではエベレスト、日本は富士山

22 ↓18になったら照明を――

23 筋肉――　神経――　――培養

25 ➡21の「タイヤが」の部分

26 高い山の上で水を熱すると100℃より低い温度でお湯が沸く、といったことを教わる科目

27 「こんな感じの人でした」という証言を元に合成した――写真

29 山道の脇で見かけたエビネやサギソウ。これの仲間です

30 ガリレオ・ガリレイにちなんで付け

1	9	13	16		23	26		■	36	39
2				■	24		■	33		
■	14		20		■	29				■
3	10		■		■	27				■
4		■	17				■	34		40
	■	15			■	28	30		■	
5	11		■	21				■	37	
■	12		18		■		■	35		
6			■	25		31			■	
7		■	22		■	32		38		
8	■	19								

られた加速度の単位
31 レトルトのカレーをかけて主食に
33 晴れているのに降っている
35 仲間にいると頼りになります
36 実習生のことをこう呼ぶことも
37 古墳はつまりコレ
38 放置するとぼうぼうに
39 熱い調理器具をつかむための道具
40 蓋に炭火を載せられる調理器具。キ
　　ャンプに慣れてくると欲しくなりま
　　すよ

16 みんなで行こう夏祭り

浴衣を着て解くとムードが高まりそう。

作●湾狼子

➡ヨコのカギ

1 夏祭りにやぐらの周りで輪になって踊ります。東京音頭が定番の曲です
2 きれいな装飾やからくり人形を乗せて、お祭り会場を練り歩きます
3 お祭りの夜を赤や黄色にいろどる明かり。手に持って歩いたり➡2に飾ったりもします
5 細かな作業はうまくできません
6 干支にいるけど実在しません
7 夏の京都をたくさんの山鉾が練り歩く盛大なお祭り。疫病を鎮めるために平安時代に始まりました
8 自分で選んで着ています
10 日本では玄関で脱ぐことが多いです
12 あとに残らないように生きたいです
14 脂がのったマグロの部位のこと
16 牽牛星の向かい側で夏の夜空に輝きます。機織りをする女の人の星という意味です
19 甘辛なタレがかかったお団子のこと
21 「八」はコレが広がっています
23 小さくつまらない魚たちのこと
25 人を集めること。「仙台七夕まつり」は、例年200万人以上を——します
26 ⤵49でも売っている涼しげなおもちゃ。ゴムひもが付いていて、上下させたりして遊びます
28 魚や➡26を針と糸で引っかける
31 年を取るとともにおとろえること
33 夜空に浮かぶ白い流れ。伝説では彦星と織姫が七夕の日にだけ渡ること

ができるとされます
34 ⤵49でも売っている果物のお菓子。甘酸っぱい果実に甘いアメがかかっています
36 茶室で点前畳と客畳の中に敷く板
38 こと座でもっとも明るい星。➡16と同じ星を指します
39 宮中で行われた宴会。7月7日に相撲の——が行われていたことも
40 開けられていないことを示します
42 甘い香りと酸味が人気のコーヒー
45 農具などを置くための小屋のこと
47 自分でなく他の人のために行動する

⬇タテのカギ

1 動けずに直立したままになりました
4 東北地方の夏祭りに登場する武者や伝説が描かれた大迫力の➡2。地域によって2文字目が少し異なります
7 また噛めるように入れる人工の歯
9 日や月が影に隠れる異変のこと
11 ボールを蹴って試合を始めます
13 太鼓はドンドン、笛はピーヒャララ
15 この世のこと。「現世」とも書く
17 印刷に使う色つきの液体のこと
18 ぬかるんでいて歩くには向きません
20 おかしいときもしばらくは見よう
22 七夕には五色のコレに願い事を書いて笹につるします
24 東京の下町などに暮らす粋な人たちのこと。お祭りも好きです
26 くじら座の不思議な星
27 昔の儀式の決まりや慣例。有職——

1		13	18			30		39	44	48
		14			26					
2	9		19	22			40			
3		15				31	35		45	49
	10			23	27		36	41		
4		16	20			32				
5	11				28			42	46	
6			21	24		33	37			50
	12	17		25	29				47	
7							38	43		
8					34					

29 この商品はここがすぐれています

30 海水がなると巻きのようにぐるぐる

32 人々が集まって話し合うこと。お祭りの準備のために↓44で開かれることも

35 ↓24の威勢がよくて粋な気風

37 余すところなく全体のこと

39 ボールより先に走者が塁に到達

41 お金と交換にほしい物を入手します

43 たおやかでみやびやかな言葉です

44 ご近所さんのこと。地域の夏祭りは——会が主催することも

46 火をたくための器。お祭りの会場にたくさん並んでいることも

48 アルファベットの1番目

49 お祭り会場で食べ物やおもちゃを売る小さなお店。→2をこう呼ぶこともあります

50 ↓49でも売っているふわふわのお菓子。最近は色付きや巨大なものもあります

17 夏の歌を口ずさむ
海の家で聞いたあの歌も出てくるかな？
作● かばしさま

➡ヨコのカギ

2 夏の名曲『ふたりの愛ランド』を石川優子とデュエットした歌手

3 あぶら

4 敷き布団のカバー。敷布

5 うしろ、のち

6 十進法では一、十、百、千、万…と増える

7 頭の側面の髪

9 『花火』『キラキラ』などの歌手

10 税金を英語で言うと？

11 NHK連続テレビ小説『なつぞら』の主題歌も演奏したスピッツの、14作目のシングル曲

12 航海の難所

13 ザ・ピーナッツを代表する夏の歌

14 絶対ダメだよ、と刺す

16 ──より食い気！

17 石井明美の日本語版カバーがヒットした

19 ゆずのメジャーデビューシングル曲

20 兄弟または姉妹の男の子ども

22 寝いす、長いす

23 江間章子作詞、中田喜直作曲『夏の思い出』では、以前訪れたこの地のミズバショウを歌う

24 縄文時代の代表的なすみかは──住居

26 2016年8月に発売された『真夏のサーガ』を含むKIRINJIのアルバム

27 すっかり夏の定番曲の1つとなった（?）『長く短い祭』は椎名──の曲

30 昔の貴族たちの遊び

31 『➖11にまつわるエトセトラ』を歌ったPUFFYは大貫──と吉村由美のユニット

32 応仁の乱で西軍の主将を務めたのは──宗全

34 DEENの『君がいない夏』は、アニメ『名探偵──』のエンディングテーマだった

35 『真夏の──』はサザンオールスターズの夏の名曲の1つ

37 TUBEを日本語で

38 犯してはいけないこと

39 イヌやトラの犬歯、ゾウの上顎門歯

⬇タテのカギ

1 AKB48の、キャッチコピーが『女の子たちが集まると、とっておきの夏が来る』だった曲のタイトルに登場する、髪につける装身具

5 眠くなると出る

8 島崎藤村の詩に大中寅二が曲を付けた歌は『──の実』

9 大黒摩季の『熱くなれ』がNHKでのテーマソングだったオリンピックの開催地

11 上手とか下手とかがある

12 ドラマ『こえ恋』のエンディングテーマだった井上苑子の歌

14 TUBEを日本語で

15 休息

17 うまくなるにはしてはいけない？

18 スガシカオが作詞・作曲・歌の『劇

Crossword Grid

1		11		18		24	28		36	
2	8			19					37	40
3			14				32			
		12			22		29		38	
4			20			30	33			
		13	15		25				41	
	9			23		34				
5			16	21		31				
6				26		39				
7		17				35				
	10			27					

場版xxxHOLiC 真夏ノ夜ノ夢』の主題歌

20　木こりが木を切り倒すための道具

21　ひと夏の――

22　牛や馬のエサを入れる

24　美空ひばりの夏の歌といえば『真赤な――』

25　『睡蓮花』を歌ったのは湘南乃――

26　せがむこと

28　地下鉄サリン事件とか9.11とか

29　薬の効きめや安全性を確かめる

31　松田聖子の歌の珊瑚礁の色

33　テレビ、新聞、雑誌など

35　――の中の鳥はいついつ出やる

36　Whiteberryといえばこの曲

39　イヌとサルとともに桃太郎の家来と

なった

40　2000年に第42回日本レコード大賞を受賞した、サザンオールスターズの代表曲

41　ピンクレディーの『⊖11の――』、サザンオールスターズの『勝手に――』など夏の歌によく出てくる『アラビアンナイト』の登場人物

18 夏の自然

アクティブな動物が増える時期です。

作●ねこあい護家

➡ヨコのカギ

1 今の日本の夏の暑さは、——首長国連邦と比べてどっちが厳しいかなあ

2 夏に時間をずらすサマー——は日本では導入されそうもないなあ

3 「季夏」「晩夏」とは、夏の——という意味

4 夏の暑い時期に涼しい場所へ

5 うだるような夏の暑さは、これの中にいるような気分だ

6 初夏に花を咲かすハリエンジュは、別名がニセ——で単に——とも呼ぶ

8 夏は森の木々の——が濃くなる

10 夏に多い、音と光の気象現象

12 ラグビーで有名な南太平洋の王国。意外と夏でもひどく暑くはないとか

13 夏休みは観光客が多いので煎餅をたくさんもらえそうな奈良の動物

15 夏は海水浴の季節だが、海水のことをこうも言う。漢字で「潮」

17 夏頃にアナログクロックのような花が咲く。トロピカルフルーツのパッションフルーツは、これの仲間の実

19 鹿児島県の大隅じゃない方。余談だが、鹿児島市の8月の平均気温は大阪市より低い

20 ——かじり虫　——たんてい

21 夏の暑い日は、チューブトップを着る人も多いが、その大半の性別は

22 夏の暑い日は、へそ出し——の➡21の人を見ることも多くなる？

24 カナカナとも呼ばれる蝉。夏の終わりのイメージがある

25 車輪の跡。夏に逃げ水が見えるような舗装道路には出来にくい

27 竿を使って魚をとる人。普通は漁師のことをこうは呼ばない

28 赤い花が咲くシソ科の植物。アニメ『サザエさん』では、夏に居間から見える庭の花がこれだったりする

29 大男——に知恵が回りかね

30 入道が成長すると金床になる。スーパーセルになる場合も

32 夏は熱中症で彼らに面倒をかけないように気をつけて生活しよう

33 生活のこと。身過ぎ——

35 亀に負けたが狸は倒した。野生のは夏に毛が白から茶色に変わることも

36 水分補給や⬇4で熱中症を——する

39 十二星座占いでは7月23日から8月22日にあたる⬇37座のこと。『ジャングル大帝』の主役の名でもある

⬇タテのカギ

1 夏の夜空で目立つさそり座の赤い星

4 夏の強烈な日差しを避けるために差す。戦前は男も使ったそうだが、今は男が使うのは少々抵抗があるかも

6 魚の少し食べづらい部分。だからって捨てるのはもったいない

7 昔、東北にいた人々。えびす、えぞ

9 夏は蝉の季節だが、夕方にこれの場面が見られるかも

11 少年たちの夏の人気者な昆虫

14 遠くの台風の影響で、夏の虫干しを

行ったり鰻を食べたりする頃に海が
うねる現象
16 夏の嫌われ者な昆虫を殺す――線香
18 小学校で育てた人も多いと思う。夏
の早起きさん
21 夏に日本に来る渡り鳥で、日本の青
い鳥の代表的な存在
23 夏は特にお肌の大敵な不可視光。UV
24 小学校で育てた人も多いと思う。い
かにも夏らしい花
26 ――や兵どもが夢の跡
29 狡兎死して――烹らる
31 中部地方の高山に住む鳥。夏は雄と
雌の体の色が異なる。英語のサンダ
ーバードはこれとは違う伝説上の鳥
34 近年は35℃以上の――が多くなった

37 ライオン。彼らには日本の動物園の
夏はアフリカよりきついかも
38 これは春の花だが、別種の高山植物
のムシトリ――は夏に花が咲く
40 中南米の常夏のジャングルに住むヘ
ビー級の蛇。アナコンダもこの仲間
41 夏は幽霊の季節だが、古風な奴はこ
れの木の下が仕事場
42 ネムノキに近縁の植物で、さわると
葉が閉じるのが特徴。夏に花が咲く

19 夏の生活や行事

暑さのおかげで始まった習慣も。

作●最門雅

➡ヨコのカギ

1 夏の鴨川、川辺にせりだしたやぐらで贅沢な食事などをいただく。最後の２文字は「ドコ」になることも

2 猛暑をしのぐ──を教わった

3 ちりぢりばらばらになること

4 昭和の小学生、夏休みの必需品は虫取り──かな？

5 立腹している様子。──を含んだ顔を見せる人も

6 猛暑でもスクランブル──は人であふれていたりする

7 長良川の夏の風物詩

10 夏の㋐31の頃に、お世話になった方へのご挨拶

12 レジャーともいう

13 猛暑関連銘柄に──が集まる

14 日本の夏の熱いトーナメント

17 ──隙いらず

20 筆跡。明智光秀の──

21 毎年のお中元は、──がたっぷりのどらやきセットに決めている

22 京都の五山送り火のうち、如意ヶ岳のものは特にこう呼ばれる

23 毎年夏になると、玉詰め──のラムネを買い置きしてます

24 ちょっとした水たまり。夏にはミズスマシやアメンボが見られる

26 古新聞などをすき直したもの

28 無くて七──有って四十八──

30 夏バテで、会議中に──を漕ぐ大失敗をした

31 夏の──の㋑39の日に鰻を食べた

32 白黒の熱い勝負

34 夏休み中もクラブ活動。今日はこの部屋にみんな集まって会議

36 夏のゴルフ、緑の──がきれい

37 帳簿価額の略です

38 夏のゲリラ豪雨には役に立たない？

⬇タテのカギ

1 夏の早朝、クヌギの木にいる──クワガタを見つけたよ

4 空気は通すけれど虫は通さない建具。これで虫よけしつつ部屋を涼しく

6 夏期講習が──を奏して学力アップ

8 夏バテで気分は少し──。ブルー

9 釣った魚をその場で──にした

11 夏合宿の主眼は、下半身──だ

13 ある事柄に携わること

15 ──発生とほぼ同時に消防車が出動した

16 夏休みの──表を作成した

18 セカンドハンド。──車販売

19 ──の耳に念仏

20 俳句は「句」、短歌はこれで数える

21 夏の大会は、20打数15──と絶好調だった

23 夏の京都旅行で、宇治駅近くのこの寺院まで足を伸ばした

25 プラスすること。サービス料が──された

27 ──のやんぱち

28 ──行きが怪しい

29 文字通り、採れた海産物を浜辺で焼

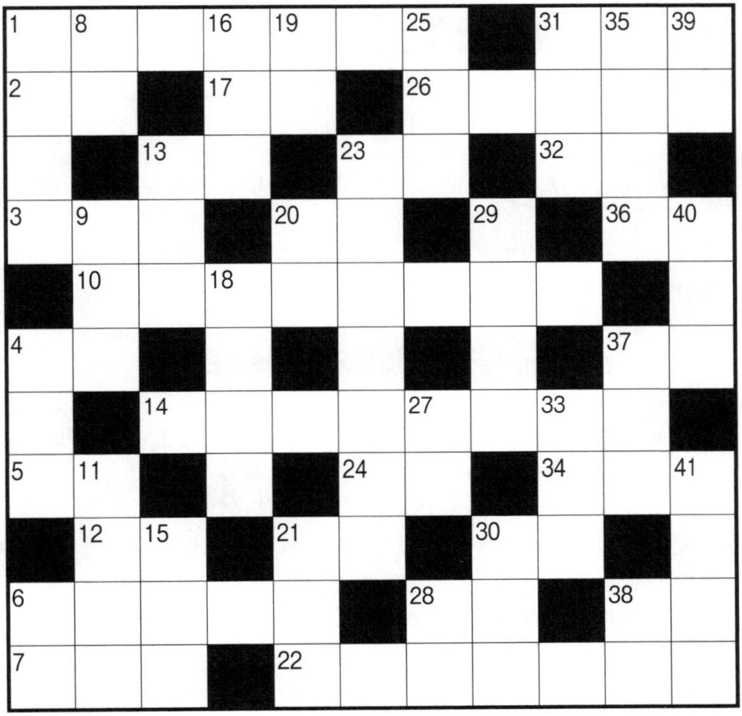
1 8 16 19 25 31 35 39
2 17 26
13 23 32
3 9 20 29 36 40
10 18
4 37
14 27 33
5 11 24 34 41
12 15 21 30
6 28 38
7 22

く料理。夏休みに楽しみたい

30 夏の大会初戦は、相手の棄権で——勝だった

31 外惑星の１つ

33 猛暑日の今日は、——に浸からずシャワーだけにする

35 「——の銭は持たねぇ、てやんでぇ、飲めぇ飲めぇ」

37 昭和の小学生、夏の定番スタイリングは半ズボンに麦わら——かな？

38 夏の睡眠はこれを吊って守る

39 夏の(→)31の——の日に鰻を食べた

40 夏の終わり頃

41 足の指の先端。ビーチサンダルだとむき出しだったりする

20 梅雨もまた楽し
この時期があるから作物が育つ。

作●おく山みつゆき

➡ヨコのカギ

1 梅雨が始まること。夏の季語です

2 梅雨時は水蒸気量が──状態に近づき、湿度が上昇

3 動物も出場する五輪種目

4 Re:

5 風雨でこれができなければ欠航便に

6 梅雨頃咲くザクロの花や印鑑のインクのような、黄っぽい赤

7 これを高くして梅雨の湿気等から荷物を守る倉庫も

8 「ひろせ川渡りの堰の澪しるし　みかさそふらし五月雨の比」（西行）の広瀬川など

11 雨天の洗濯物はここでなく室内に干すわ（作者の母談。個人の感想です）

14 ≒つゆ

16 乳製品を生産

18 ──公園　──劇場　──天文台

20 最高気温が30℃以上

22 梅雨時は「ドライ」でつけるわねえ（作者の母談。個人の感想です）

24 赤＋白　クローバーZ

27 梅雨の時期には不要な家電だわねえ（作者の母談。個人の感想です）

29 共同墓地。肝試しに使っちゃダメよ

30 天気の具合。梅雨時はそう優れない

32 キツツキ科の鳥。黒い体に赤い頭

34 ☆梅雨の童謡コンサート☆
　＃１『あめふり』　　←こ
　＃２『てるてる坊主』　←れ
　＃３『かたつむり』　　←ら

36 梅雨の時期、小学校のこれの中には色とりどりの長靴が並ぶ

38 梅雨時の曇天からのこれは弱い

40 知られていないナイススポット

42 梅雨の時期　警戒しよう　──災害

44 梅雨時はイサキやヒラメを狙いたいね（作者の父談。個人の感想です）

46 油で防水加工すれば和傘の材料に

⬇タテのカギ

1 梅雨が明け、空は雲一つない──に

5 梅雨明け宣言が出るのはこの日まで。なので梅雨明け宣言がなかった年も

9 ──立ち＝雨　　──焼け＝晴れ

10 雨も一因となって斜面がズズズズ

12 盆踊りや温泉宿だけじゃなく、梅雨でも涼しく着られて母さんは好きよ（作者の母談。個人の感想です）

13 雨上がり、葉の上にきらめく水の玉

15 鳴ると梅雨が明けるアイツが地上に

17 ６月にする女性はジューンブライド

19 事件の裏で糸を引く

21 蛇の目でお迎えに来てくれた母さんとともに──につく

23 梅雨時はさくらんぼ、びわ、あんずとか美味しくて好きよ。梅はこれ？（作者の母談。個人の感想です）

25 「春すぎて夏来にけらし白妙の　衣ほすてふ天の香具山」と詠まれる天香具山がある県

26 土壌が──性だとあじさいの花が赤っぽく咲くとか

28 天気予報用語で最も強い雨＝「──

1 9 13	21	■	30 35	43 48
2	■	22 26	■	44
■	14 17	■	36 39	
3 10	■	27 31	■	
4	■ 18 23	■	40 45	
■ 11 15	■	32 37		
5	■ 24 28	■	46 49	
■ 16 19	■	38 41	■	
6 12	■ 29 33	■		
7	■ 20 25	■	42 47	
8	■	34		

な雨」

30　浅い　割れる　知れない

31　梅雨の湿気にも強い日本の塗壁材料

33　zzz...

35　植物の名を使う陰暦7月の異名

37　初夏に白っぽい花を咲かす。欧州や日本で街路樹として植えられる

39　お守りやお札を神社で焼却

41　読む読む詐欺？　長雨の季節、外に出かけずに、書架でこうなってしまっている本に手を付けるのも一興か

43　幸運のクローバーの特徴

45　6月1日に衣替え、7月7日に七夕祭り、など

47　雨かんむり　氷の柱　土の下

48　A「表出ろやコラ！」←これ

B「上等じゃねえか！」

49　梅雨入り頃に大輪の花が咲くわね。母さんも昔は父さんに、立てばこれなんて褒められたっけ…うふふ（作者の母談。個人の感想です）

21 花火がドーン！
このカギ、大丈夫かな…。
作●矢野龍王

➡ヨコのカギ

1 ――花火はこんな動き

2 胴の丸い魚を骨ごとブツブツと切る
3 どの選択肢にも該当しない
4 花火大会の合間に流れることもある
5 電子部品とコードを接続する部品
6 簿記で右側が貸方なら、左側は
7 連続で上がるこんな花火

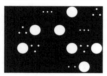

8 花火大会の日は会場へのこれも混雑
10 玉につければ、タカラになる
11 花火はこの季節の風物詩
14 花の形が蝶に似ているものも
18 花火見物にぴったりな串料理
19 今日が日曜日なら、これは金曜日
21 イエロー、マゼンタと合体して黒に
22 素敵な花火に感動して目から流れる
25 粘性のある油分を含んだ砂
27 横に長いこんな花火

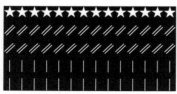

29 破裂音が出る――玉も花火の一種
32 旅行の目的の１つ。花火大会鑑賞も
33 こんな打ち上げ花火。花の名前です

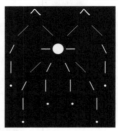

35 夜空に無数。有名人が並ぶ形容にも
37 花火の玉の大きさの単位
38 花火を打ち上げるにはこれが必要
39 家族など近親者
40 花火大会で有料になっていたりする
42 猫や犬に多いまだらな模様

⬇タテのカギ

1 花火が光と一緒に発するもの
3 苦労をともにしてきた――の妻
6 仙人はこれを食べて生きているとか
9 悩みの元。水やりしても芽は出ない
11 漢字などができあがるまでの過程
12 グラフの数値の推移を表す体の一部
13 こんな小道具（花火ではない）

15 花火の原料にも使われる元素記号Ｐ

クロスワード グリッド

1 9 12				19 24 28	31		40 43

（花火をテーマにしたクロスワードパズル）

16 こんな打ち上げ花火。花の名前です

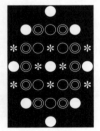

17 ドン!! 観客「──～!」
20 花火に夢中で刺されないように
23 花火といえば江戸の──なもの
24 さっと降ってさっと止む
26 同じ地域に大量出店する──戦略
28 コタエの反対
30 これの上に乗って花火を見る人も
31 小形のクジラ

33 やっちゃダメ。立入──
34 花火はこの季節の季語ともされる
36 ゲームでお馴染みの中国の歴史書
38 身を束縛するもの。漢字では「柵」
40 ──花火はこんな感じ

41 前触れもなく唐突に
43 玉が飛ぶこれを計算して打ち上げる
44 中国でお祝いのときに鳴らす花火
45 午後──時頃始まる花火大会も多い

22 夏のまちがい探し

作●猫の背中にいる

まちがい探しでちょっと気分転換しましょう。夏の情景を描いた上下の
2枚の絵には、7カ所の違いがあります。全部探し出してください。

第3章
秋

和歌では「飽き」にかけて使われることも。
パズルに飽きがきませんように。

23 クロスワードの秋深き

「○○の秋」って、なんでこんなに多いのか。

作●コインキング

➡ヨコのカギ

1 秋の彼岸の中日。この日を過ぎると、昼より夜が長くなる

2 親子が似るのはこれの働きによる

3 野球で、シングルヒットのこと

4 一般に、秋になると夏よりもこれの露出は少なくなる

5 税金に関する仕事。——調査は秋によく行われるとか

6 ↔○

7 コンビよりも1人多い

9 ——満々に答えて間違っていたときはすごく恥ずかしい

10 純なブルー。秋晴れの空もこんな色

12 花の中央にあり、受粉すると果実ができる

15 9月上旬に吹く暴風。野の草をわけて吹く、という意味です

18 とろろにしたりするナガイモの仲間。奈良県の伝統野菜

20 天孫降臨伝説のある宮崎県の地名。——峡は紅葉の名所としても有名

21 紅葉の名所としても有名な奥入瀬渓流がある県

23 食欲の秋、海の——も山の——もおいしいものばかり

24 ウィンブルドンのテニスコートに生えている

25 読書の秋、たくさん読みたい

26 スポーツの秋、大いに——をかこう

28 ゴール——　コーナー——　ペナルティー——

29 王や皇帝など。立憲——制

30 食欲の秋だからといって食べ過ぎると、ここにこもる羽目になるかも

31 読書の秋、ここで➡25を借りるか

34 無教養で粗暴。——人

35 栃木県南西部の市。——フラワーパークでは秋にはバラやパンジーなどが楽しめる

37 男性用スーツ。ロンドンの地名サビル・ローが語源という説も

39 スタンプともいう。現在、290円の普通——の図柄は紅葉の日光国立公園となっている

41 火山地方に多い元素記号S

43 ——完結　——暗示　——紹介

44 アルミ製やスチール製をよく見る

⬇タテのカギ

1 ダシを取るのにも使う、秋には特においしいキノコ

4 天ぷらにしたりする、秋が旬の硬骨魚。沙魚と書きます

6 リレー選手がつないでいく道具

8 石油がとれるところ。中東のものが有名だが、秋田や新潟などにもある

9 毎年10月に行われる、京都三大祭の1つ

11 「なんとなく」で宝くじを買ってみるのもこれかな

13 東北地方の旧国名。秋においしいリンゴの品種名でもある

14 「よき」とも呼ばれる刃物

16 食わねど高楊枝

1	8	11	16		■	28		36	■	46
2				■	25		■	37	42	
3			■	21		■	32	■	43	
■	12	17		■	29	■	38			■
■	9			■	26		■	39		47
4		■	18	22		■	33	■	44	
5		13	■	23		■	34	40		
■	10		19		■	30		■	■	48
6		■	20		27		■	41	45	
7		14	■	24		■	35			
■		15	■		■	31				

17 よふけのこと。──番組

19 地獄の──も金次第

21 「天の原ふりさけ見れば春日なる 三笠の山に出でし月かも」の歌で知られる遣唐留学生は──仲麻呂

22 秋を詠んだ「柿食えば鐘が鳴るなり法隆寺」で知られる俳人

25 チークダンスで寄せ合う

26 建物の取り壊し後の土地

27 紅葉の名所としても有名な養老渓谷がある県

28 秋に、匂いの強い黄色い小花をたくさんつける植物

30 『秋興八首』などを残した、中国唐代の詩人。詩聖とも呼ばれる

32 ４ＷＤは四──駆動

33 船と船とをつなぎ合わせること。「舫い」と書く

35 これの速い人は運動会でも大活躍

36 爪をかむとか、貧乏ゆすりとか

38 タクトを使ってオーケストラを

40 秋の味覚ジャガイモの別名

42 芸術の秋、ここに行って絵や彫刻を鑑賞するか

45 かつお節を意味する女房詞。削り節のこともこう呼ばれる

46 秋の空によく見られる──雲は、いわし雲とも呼ばれる

47 ──高く馬肥える秋

48 煮物にしたりする大型のウリ。漢字表記には「冬」が登場しますが、秋の季語です

24 紅葉に目を奪われて

狩るのはいいけど刈ってはいけません。

作●いこいの森

➡ヨコのカギ

1 秋に葉が鮮やかに色づく木の1つ。実は茶わん蒸しにもどうぞ

2 地味ではない。紅葉の時期は山全体がこうなりますね

3 秋に葉が鮮やかに色づく木の1つ。「モミジ」とも呼ばれます

4 ホースのような形状

5 漢字では「躑躅」と書く木。ドウダン——は見事に紅葉します

6 木の太い部分

8 垂直跳びで跳ぶ方向

10 これとして➡1が植えられることも多く、秋には色づいた葉で通る人の目を喜ばせたりする

12 「ちはやぶる神代も聞かず竜田川…」という歌でも、紅葉の表現として使われた深く鮮やかな色

14 前方以外へ視線をちらっと

16 ⬇43から⬇19や➡26に色が変わるけど紅葉ではありません。人工物です

18 実際の値と測定値とのずれ

20 冬には葉がなくなる木の種類。紅葉する木の多くはこれです

22 動物をとらえたり、紅葉を楽しんだり

24 走りや棒を用いて、バーを越す競技

25 中に餡などが入った和菓子。モミジをかたどったものもあります

26 秋のモミジといえばこの色ですね

29 うらやましいなぁ

30 絨毯だったりフローリングだったり

33 ザザーンと波が打ち寄せる場所

34 うどんのようだけど、より幅が広い

35 ゴミや事務などに対応する

37 ——の友は昔からの友

39 哀楽以外の、二種の感情

40 「ここのつ」に1つ加えて

42 ちから　パワー

⬇タテのカギ

1 歌やカルタの前につく仮名3文字。——モミジは庭園によく植えられる紅葉する木

3 親、子、兄弟など。扶養——、——手当

5 イワシなどのすり身団子

7 お店の味を家まで届けてくれます

9 狸の腹鼓もこれの一種かな

11 行楽にもってこいの時間

13 ブレスレットとかバングルとか

15 頑固者が張ります

17 普通は出ない高音を喉から出す方法

19 秋の➡1といえば、この色

20 ローカルエリアネットワークの略

21 木とは異なり➡6がない植物。これにも秋に紅葉するものがあります

22 スキンヘッドにはありません

23 「紅葉」など漢字2文字以上の言葉

24 焼き鳥は塩？　それともこれ？

25 平安貴族は蹴って遊びました

26 「友釣り」という釣り方も有名な魚

27 これの東西を問わず＝世界中で

28 ずんぐりして光沢のある甲虫です

29 花札でモミジと一緒に描かれる動物

1		11	17	■	24	28	31		■	43
	■	12		21				■	39	
2	7	■	18		■		■	35		
■	8	13		■	25		32			■
3		■		22		■		■	40	44
	■	14	19		■	29		36	■	
4	9		■	26		■		37	41	
■	10	15	23		■	33		■		■
5		■		■	30		■	42	45	
6		■	20	27		■	38	■		
	■	16			■	34				

なるといわれます

30 匹夫が見せる胆力
31 屋根に降った雨水の通り道
32 本当にあったこと。──無根
33 靴のこれはインソールともいう
35 交わると⊖26になるといわれる色
36 日光、那須高原などの紅葉の名所が
　　ある都道府県
38 バターとかラードとか
39 清水寺、嵐山などの紅葉の名所があ
　　る都道府県
41 金属製の紐ともいえるかも
43 紅葉する前の葉はこの色
44 紅葉の時期は、これで地面や道が色
　　とりどりの絨毯のようになりますね
45 大気のあたたかさ。昼と夜で──の
　　差が大きいと、紅葉の色が鮮やかに

53

25 スポーツの秋

解いているうちに体を動かしたくなるかも。

作●一ノコト

➡ヨコのカギ

1　運動会やスポーツイベントの最初につきもの

2　⊖1で代表者が前に立ちイベントに対する意気込みを高らかに言う

3　運動会で引き合う

4　サーフィンやスキーなどの⊖17の後ろ側

5　バレーボールでレシーブとアタックをつなぐ

6　バドミントンのシャトルや野球の硬式球の芯に使われている素材

7　運動会でカゴに投げ入れた数を競う

8　トーナメントならば優勝

11　Bリーグは日本のプロリーグ、NBAは北米のプロリーグ

15　ラクロスやアメリカンフットボールで反則発生時に審判が投げる

17　ゲレンデを滑ったり波乗りをしたりするために足元に

19　テニスや卓球などの球技で対戦相手との間にあるもの

21　マグロの赤身を醤油で味付け

23　各時代に現れる大人気選手

26　各スポーツごとに設けられた規定

27　角の無いものは帯びている

28　サボテンは2人で、扇は3人以上で

30　クレー射撃が誕生した頃、ターゲットはこれだったとか

31　カヌーのパドルやゴルフのクラブの柄の部分

32　ラグビーニュージーランド代表のユニフォームの色

35　ラッコもこれもイタチの仲間です

37　耳の中で音を受け取り震えてる

39　ディズニー映画で父親の身代わりに野獣のもとに行ったヒロイン・ベル

42　野球で先攻チームが守備につく

44　アーチェリーでは中心が黄色い

46　役に立たないものはなさない

⬇タテのカギ

1　運動会やスポーツイベントで本部の日光や雨を防ぐために建てる

6　都道府県対抗で天皇杯、皇后杯の獲得を目指し競い合うイベント

9　運動するときに汗を吸い取る

10　WRC（世界⬇33選手権）で1995年から3年連続で年間優勝した日本の自動車メーカー

12　サッカーでは抜き、相撲では割る

13　何かしようとする者を妨げるもの

14　野球や⬇29の1、2、3、本

16　困ったときに求める

18　値引き交渉をせずに買うときの価格

20　野生動物を飼い馴らすために

22　出雲や伊勢で男子大学生がつなぐ

24　アポロ計画で打ち上げた

25　スコットランドの男性用スカート

27　相手選手を自由にプレーさせないためにつく

29　野球より一回り小さいグラウンドで、一回り大きいボールを使う

31　繭から生まれた肌触りの良い素材

33　⊖19をはさんで行われる打ち合い

34　パスを託す相手
36　感情を包み隠さず表情に
38　付いていても読めないときは、字が
　　小さすぎるとき
40　体操でこの字の形にバランスをとる
　　技があります
41　袋に入れた物が出ないようにする
43　地表の下にたぎる熱いもの
45　判決が不服なときに行う再審査要求
47　陸上選手が走る場所
48　１位になればゴールテープを切れる

26 秋の自然

どこかから虫の声が聞こえてくるような。

作●もしや野中

➡ヨコのカギ

1 秋の雑木林にコロコロ
2 ちょっとうとうと
3 ゴミっぽい秋の七草
4 漢字で書くと「女郎花」な秋の七草
5 浅草のが有名な寺社境内の商店街
6 カップルが迎えることもある悲劇的結末
7 人情とセットが多い
9 ぐるりと回って避ける
12 その分野は専門じゃない
15 背負うこと。メスがオスを背中に負う——バッタは秋の虫
17 写真などの画像の加工作業
18 コピー機などで使う着色材料
20 昔はスズムシといわれた秋の虫
22 人形も作れる秋の花
23 大工道具っぽい秋の花
24 ㋡1を秋に集める小動物
26 別名アロエ
27 里帰りみたいな秋の七草
29 川辺や土手に生える秋の七草
32 田植え前に行われていた伝統芸能。味噌——や——豆腐は食べ物
33 秋なのに桜？な植物
35 行きがけにゲット
37 漢字だと「竜胆」な秋の草
39 メートルとかグラムとか
40 不可思議な物事
42 ——の春は秋の季語、——の秋は春の季語という植物

⬇タテのカギ

1 同じレベルの人や物
4 ススキともいう秋の七草
6 ヌスビトもある秋の七草
8 ボートで観光することも
10 斧二本装備秋の虫
11 くだらないクエスチョン
13 上で肉を焼くことも
14 打率では1000分の1に相当
15 大名家などで起こる——騒動
16 選別してより抜く
19 痛みなどをこらえること
21 秋は3番目
23 潜るのがうまい滋賀県の県鳥。秋に子育てする姿が見られたりする
25 素早く描くスケッチ
28 ステープルファイバーの略
30 別名負けず嫌い
31 日本女性象徴の秋の七草
34 縄文 戦国 江戸
36 戻すと復縁
38 すりこぎとセットで使う
39 チャイナやコリアンもある
40 山の芋とも呼ばれるがヤマノイモとは別物。多くは秋に掘られる
41 このカギはイージーだなと嘆く(？)秋の虫
43 家 親 暴走
44 ニッチともいう空間
45 鶏のとさかのような見た目と名前の秋の植物

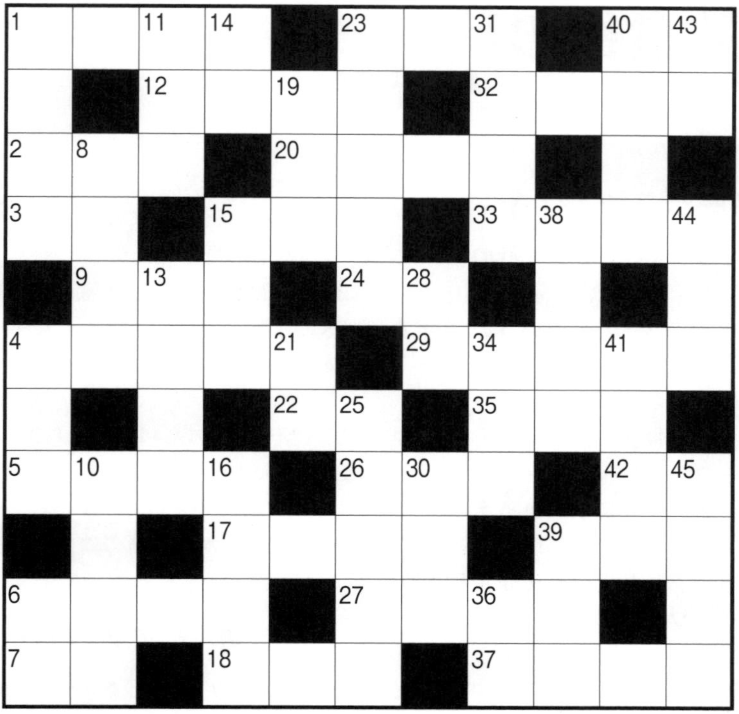

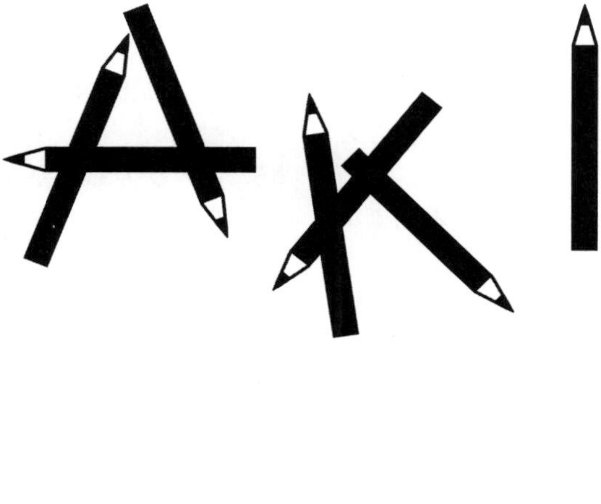

27 食欲の秋

想像するだけでお腹が空いてきた。

作●モンチー

➡ヨコのカギ

1 漢字では「木通」と書く秋のフルーツ

2 カボチャで作ってもおいしいプルプルの洋菓子

3 家にいないこと

4 鶏ガラや豚骨を白濁するまで煮込んだスープ

5 トタンのメッキに使われる金属

6 敵意をあらわすときに剥く

7 その名の通りサツマイモが主役の秋のスイーツ

9 リンゴにバターを詰めて丸ごと調理した秋のスイーツ

11 茶碗蒸しやおこわのアクセントにもなる秋の味覚

13 船や飲食店で魚介類を飼っておく場所

14 ➡26や⬇5はこれで漬けても美味

15 気負っているときに張りがち

16 ８年かけて実ると言われる秋のフルーツ

17 栗の実をシロップ漬けにした秋のスイーツ

19 コメディアンや俳優が使う本名でない名前

22 栗のクリームを使って山を模した秋のスイーツ

24 香り高く、また値段も高い秋の味覚

25 秋に出回る収穫したばかりのものはツヤも香りも格別

26 ある落語で「目黒に限る」と評された秋の味覚

29 自然に寄り集まりがちな、性質の似たものたち

31 ⬇30がある人は得意

33 お気に入りの人ばかりに肩入れ

34 ➡25を作るのに欠かせない天からの恵みの１つ

35 気性の激しいニワトリの一種

36 シャリシャリした食感が爽やかな秋のフルーツ

38 ➡26のカギで当のコメントを残した人物

⬇タテのカギ

1 甘く煮たリンゴを生地で包んで焼いた秋のスイーツ

5 嫁には食べさせたくない秋の食材

8 川などから引いた水を使うこと

9 笑顔のアクセントにもなるずれかさなった歯

10 startとほぼ同じ意味の英単語

12 １日の仕事を終えて打刻

14 アフリカで群れをなして暮らす黒い動物

15 キック力も必要なかくれんぼの派生形

16 背伸びするときに上げる部位

17 鯉もこれの上ではされるがまま

18 ちょっとした芝居やコント

20 人生── 水かけ──

21 吝嗇家は財布のこれが固い

23 ボキャブラリー

24 南米で伝統的に飲まれるお茶の原料

となる植物

25 サプリメントや健康食品の効果には これがあります

27 旬の食材には、安くて栄養が豊富と いったこれが多い

28 味覚に対する感度が高い人

30 ライティングの才能

32 黒パンやウィスキーの原料となる麦

33 横綱でも三役でもない幕内力士

34 東北地方伝統の円柱形をした木製人形

36 野球チームをその人数にちなんでこう言うことも

37 童話の世界のお姫様が王子様と踊るダンス

39 定められた形にのっとっていること

40 種子島原産で高い糖度が特徴の秋の味覚

28 読書の秋

クロスワードのカギを読むのも読書かな?

作●桜源太

➡ヨコのカギ

1 本の著者、出版社、発行日などがまとめて書いてあるページ
2 犬、猫などが誰にも飼われずに生きている状態
3 お悔やみの言葉と一緒に差し出すお金
4 真上↔──
5 本の所有が禁止されている世界を描いたSF小説のタイトル『──451度』は、紙が燃える温度に由来しています
6 「文明の──」に電子書籍も入りますか?
7 たくさん売れた本
10 書き損じた紙
13 おもに雑誌を収納する家具
14 三島由紀夫の小説の題名にもなった、鹿苑寺の別名
16 本を数える単位
18 焼き鳥やバーベキューに使う食器
20 『竹取物語』の登場人物
21 一定の場所から動かないようにすること
22 無理矢理正しく見えるよう主張すること
24 さまざまな感情を表す四字熟語
27 NaCl
30 読みたいとか何かしたいという気持ち
32 おもに装丁家によってデザインされる、本の顔となる部分

34 梶井基次郎の『檸檬』に出てくる日本の本屋の屋号
35 下水が流れるみぞ
36 難しい本を読んで1つ──になりました
38 例えば『101匹わんちゃん』の主人公の犬の柄
39 本を食べる虫。魚ではありません
41 配色や形状が目立つ様子

⬇タテのカギ

1 「花の色は移りにけりな…」で知られる歌人
5 本がなかった頃、世代を超えて物語を伝えてきた人
8 おもに保管のための建物
9 「本がいっぱいある様子」を表す四字熟語に出てくる動物。本を載せた車を引いて汗をかきます
10 評価するときに付けるマーク。だいたい多い方がよい
11 接吻
12 マンガ『キン肉マン』『闘将!!拉麺男』の作者
15 今日の早い時間帯
17 「──をつける」とは、無理矢理文句をつけること
19 出版業界では「本の厚さ」のこと
21 日本最古の歴史書
23 首より上、あるいは組織のトップ
25 活版印刷を発明した人
26 雨が強い様子を表すとき降るもの
28 首都はテヘラン

29 本の前書き

31 ペローの童話「この部屋には絶対入ってはいけないよ」

33 徹夜で読書したりすると目の下にできるもの

35 読み終わること

37 恋愛小説のテーマ

39 柿やお茶にある味

40 乙の前

41 ダボ——とはチチブやヨシノボリなどのこと

42 人から人へ評判が伝わること

43 「秘すれば花」で知られる、世阿弥の著した本

29 心に残る秋の歌

意外な歌やアーティストも出てきます。

作●あるかり工場長

➡ヨコのカギ

1　NHK『みんなのうた』でも歌われた、秋を代表する童謡。冒頭で同じフレーズを3回繰り返すのが特徴

2　スピッツによる1998年のシングル曲。辛島美登里などにカバーされ、紅茶のCMで上白石萌歌が歌い話題に

4　唱歌『虫の声』では"ちんちろちんちろちんちろりん"と歌われる

5　共謀して悪事を行う一味

6　「秋の夕日に」が歌い出しの唱歌。➡2や➡17も歌詞に登場する

7　――メール　――バッグ

9　昔ながらの体温計に使う液体の金属

12　歌詞に「秋」が登場する『Ya Ya(あの時代を忘れない)』を1982年にリリースした5人組。他の曲に『いとしのエリー』『TSUNAMI』など

14　歌詞に「赤トンボ」が登場する、加藤和彦と北山修による1971年のシングル曲は『あの素晴しい――をもう一度』

15　歌詞に「秋雨」が登場する、純烈の2016年のシングル曲は『幸福（しあわせ）――』

17　3段階評価で竹や梅より上の植物

20　スーパーやコンビニで会計をする

21　歌詞に「秋」が登場する『今夜はから騒ぎ』『キラーチューン』で知られる5人組は東京――

22　「見渡せば花も➡6もなかりけり 浦の苫屋の秋の夕暮れ」など31字の歌

26　美川憲一による1972年のシングル曲は『さそり座の女』。敏いとうとハッピー＆ブルーの1985年のシングル曲は（さそり座の次の）『――座の女』

27　十五夜お月様を見て跳ねるという動物の唱歌

28　歌詞に「秋」が登場する、1970年にトワ・エ・モワと越路吹雪が同日にリリースした曲は『誰もいない――』

30　思ってることを言うのが不得意

32　尺と分の間にある長さの単位

33　歌詞に「秋」が登場する『長崎の雨』を2011年にリリースした女性演歌歌手は――美幸

35　そばや大社が有名な島根の東部

37　産まれたての子どもを入れるお風呂

39　歌詞に「秋」が登場する、原由子による1983年のシングル曲は『――は、ご多忙申し上げます』

40　樽や桶の板にはめて締め固める

⬇タテのカギ

1　植物が根を張り、人間が街を作る

3　さだまさし作詞・作曲の『秋桜（コスモス）』を1977年にリリースした女性歌手。息子の三浦祐太朗も同曲をカバー

8　歌詞に「秋」が登場する、オフコースの1982年のシングル曲は『――‐――‐――』

10　折り紙で願いを込めて千羽ほど折る

11　多くの人にとっての1日の始まり

13　相手に苦痛を与えて満足する嗜好

14　『晩秋』という題名の歌も歌ったテレサ・テンの愛称は「――の歌姫」

<table>
<tr><td>1</td><td>8</td><td>13</td><td></td><td>19</td><td>23</td><td></td><td>31</td><td></td><td>38</td><td>■</td></tr>
<tr><td>2</td><td></td><td></td><td>■</td><td>20</td><td></td><td>■</td><td></td><td>■</td><td>39</td><td>42</td></tr>
<tr><td>■</td><td>9</td><td></td><td></td><td>■</td><td>27</td><td></td><td>34</td><td>■</td><td></td><td></td></tr>
<tr><td>3</td><td></td><td>■</td><td>21</td><td>24</td><td></td><td>■</td><td>35</td><td>■</td><td></td><td></td></tr>
<tr><td>4</td><td>10</td><td>16</td><td></td><td></td><td>■</td><td>32</td><td></td><td></td><td></td><td></td></tr>
<tr><td>5</td><td></td><td>17</td><td></td><td>■</td><td>28</td><td></td><td>■</td><td>40</td><td></td><td></td></tr>
<tr><td>■</td><td>14</td><td></td><td>■</td><td>25</td><td></td><td>33</td><td>36</td><td></td><td></td><td></td></tr>
<tr><td>6</td><td></td><td>■</td><td>22</td><td></td><td>29</td><td></td><td></td><td>■</td><td></td><td></td></tr>
<tr><td></td><td>15</td><td>18</td><td></td><td>■</td><td>30</td><td></td><td>■</td><td>41</td><td></td><td></td></tr>
<tr><td>7</td><td>11</td><td>■</td><td>■</td><td>26</td><td></td><td>■</td><td>37</td><td></td><td>43</td><td></td></tr>
<tr><td>■</td><td>12</td><td></td><td></td><td></td><td></td><td></td><td></td><td></td><td></td><td></td></tr>
</table>

16 童謡や唱歌を歌うのが有名な、由紀さおり・安田祥子の――

18 失恋を歌った『カレーライスの女』を2002年にリリースした女性歌手

19 自分なりにカバー曲を歌うとき足す

22 歌詞に「秋」が登場する、小沢健二による1996年のシングル曲は『ぼくらが――に出る理由』

23 パンやパイ用に粉をこねたもの

24 お好み焼きを切って返して運ぶ道具。漢字で書くと「篦」

25 現代日本の通貨単位

26 英文に最頻出の字（出典：コナン・ドイル『踊る人形』）

27 あればラッキー

29 マティーニやマンハッタンなど

31 歌詞に「秋風」が登場する、アンダーグラフによる2004年のデビュー曲

32 野生動物などが根城にしている

34 国会や地方議会を構成する人

36 昔から子どもに歌い継がれてきた曲

38 墨を吐いて逃げる足の多い軟体動物

40 ぼたもちが落ちてきそうなところ

41 宗教などの禁忌や、御法度な単語

42 歌詞に「秋」が登場する『YELL』を2009年にリリースした３人組。他の曲に『ありがとう』『風が吹いている』など

43 歌詞に「秋」が登場する『飛べない鳥』を2000年にリリースした２人組。他の曲に『栄光の架橋』『雨のち晴レルヤ』など

30 秋の生活や行事

収穫の季節ならではのイベントも。

作●たいちゃん

➡ヨコのカギ

1 暦の上では秋である陰暦9月の異称
2 秋のお彼岸、この方々のお墓の前で手を合わせる
3 ——パックにお弁当や水筒を詰め、秋の遠足へ
4 トレイを和風にいうと
5 クルトンやパセリ。スープにプカリ
6 趣味に興じる秋、囲碁に白と黒のが
7 出演の準備をする部屋。秋の文化祭、教室がタレントのこれになることも
9 「秋の大型連休は遠出でもしようか」と彼女を誘う
11 秋の風物詩、田んぼにたたずむ番人
13 金色に実った穂を鎌でザクザク、秋の行事
15 並べたり崩したり、○△□◇玩具
18 リィーーンと虫の——、秋だなぁ
19 秋の始まりを示す二十四節気の1つ
21 岸和田の秋祭りのものが全国的に有名な曳き物
23 季節の変わり目、——な生活でリズムが乱れがち
25 天高く——肥ゆる秋
26 幸運が起きるよう願って「かつぐ」
27 秋分を過ぎると、昼よりもこちらのほうが長くなる
28 刀で通行人をバッサリ…——斬りだ
30 雲ひとつない空、秋晴れだねぇ
32 秋の繁殖期によく見る♂♀のペア
33 秋に多い結婚式、誓う「永遠」
34 色づく秋、これに乗りツーリングへ

36 明日は——が悪くて、日曜はどう?
38 秋の収穫を祝う新嘗祭(にいなめさい)が由来、11月23日はこれを感謝する祝日
39 巫女が履く装束
41 怒りの形相=——天を衝く
42 秋にも——異動があったりする
44 秋風ヒュルリ…外は寒くなったな、早く——に帰ろう
46 数字選択式宝くじ
47 秋に神嘗祭(かんなめさい)を行う「神宮」が鎮座

⬇タテのカギ

1 近づく秋、半袖からこっちに衣替え
4 9月1日は、関東大震災にちなんで——の日。いざというときに備えて心構えを
8 乾燥する秋、服を脱いだらパチッ
10 簿記1級、とか履歴書に書く
12 秋の二人旅、宿はダブル? これ?
14 ハチの巣からとろり
16 合掌造りの屋根、こんな材料で葺く
17 臼の相棒
18 スモールバード。「渡り」の秋、双眼鏡でウォッチング
20 読者を引きつける記事のタイトル
22 喫茶店。秋に「オープン」は肌寒い
24 家↔会社、ラッシュは避けたい
27 江戸時代の役人。同心を監督した
28 日本海を流れる暖流=——海流
29 秋は日没が早く、日照——が短い
31 90歳。敬老の日に祝おう
33 くぐれば境内。秋祭りの神輿も通る
34 ビールの原料。モルトとも

35 食欲の秋、料理に合わせてこだわる碗や皿

37 「いい夫婦の日」に役所で入れたの

39 古民家の囲炉裏に敷く

40 秋の日は釣瓶落とし。釣瓶ってどこへ落とすもの?

42 奥深い禅の世界をここで体験。仏閣

43 身に覚えがない…──請求かッ!

45 仮装で楽しむ秋のイベント

48 人気バンドの解散ライブ、これの争奪戦は必至

49 お出掛け前に鍵をガチャリ

31 今宵は風流に月見など

どうして人は月にひかれるのだろう。

作●真良碁

➡ヨコのカギ

1 月見の名所として知られる名刹。紫式部がここで『源氏物語』を書いたともいわれます

2 竹などを編んで作った器

3 心残りであること。残念であること

4 月見には邪魔になります。「月に——、花に風」

5 パパのパートナー

6 月の引力によって満ちたり引いたりします

7 十五夜の前の日の夜のこと。「——や女主に女客」は、蕪村の句です

10 瑠璃もこれも照らせば光る!?

12 十五夜のときに供えます。関西地方では⊖31の形だったりします

14 マスカラで濃くみせたりします

16 物を売ってキャッシュにすること

17 もともとのすがた

18 大切に飼いましょう

20 お月見のときに眺めているところ。1969年にアポロ11号が着陸しました

21 土手っ腹に開けられたら大変

23 火消しが振ります

26 十五夜だけ見て、これを見ないのは「片月見」といいます

28 月で餅つきをしていると考えられた動物

30 十五夜のときに供えます。稲穂のかわりともいわれます

31 十五夜のときに供える作物

32 童謡『雨降りお月さん』で、お嫁に

34 行くときにさしていくもの ——心 ——市場 出世——

35 小石や、小石に砂が混じったもの

37 お金を出し渋る人

38 昔から人間は月の満ち欠けに——の流れを感じていました

39 漢字１字にすると、新年は「朔」。では満月は?

⬇タテのカギ

1 十五夜の次の日の夜のこと

5 月見の名所としても知られる日本三景の１つ

8 「山里は——の中迄名月ぞ」は一茶の句です

9 月見の名所として知られる海岸。坂本龍馬の像で有名です

11 十干の２番目

12 上—— 石—— ——階

13 ⊖26の時に供える山の幸。⊖26のことを——名月ともいいます

15 おとなの羊の肉

16 アヒルはこれを家禽化したものです

17 中国で中秋節のときに食べる、まるいお菓子

19 旧暦の８月を葉月と呼びますが、その——は「葉が落ちる月」とする説が有力なようです

21 お月見のことを漢語でいうと?

22 チベット仏教の高僧

24 十五夜の楽しみの１つ。下戸には無縁です

25 道すがら

1	8		15		22			31		36	40
2					23	27				37	
		12		19		28					
3	9			20	24				38		
			16					34			
4		13				32					
	10			21		29					
5			17					35		41	
		14				30	33				
6	11		18		25				39		
7					26						

27 まのあたりにすること

29 ——スケート ——キャンディー ドライ——

31 収支のつりあい

32 日本でつくられた文字です

33 土俵の上でとります。鹿児島県など では、十五夜の日にこれをとったり する風習があります

34 月のこちら側は、地球からは見えま せん。初めて観測したのは、ソ連の ルナ3号です

35 硬い焼き物

36 「名月や——をめぐりて夜もすがら」 は芭蕉の句です

38 十五夜、⊝26につづく「三の月」の 行事。旧暦10月10日の夜に行われま す

39 文部省唱歌『月』で、満月がたとえ られているもの

40 満月のこと。藤原道長は「この世を ばわが世とぞ思う——の　欠けたる こともなしと思えば」と詠みました

41 月が明るい夜のこと、特に中秋の名 月のときに用いる言葉です

32 芸術の秋

芸術的な難しさです。心してどうぞ。

作●遠藤郁夫

➡ヨコのカギ

1 絵画のドラクロアにゴヤ、音楽のシューマンらの心が騒ぐ芸術思潮

2 ↔弟

3 ルネサンス期イタリアの巨匠彫刻家。ルッカ大聖堂の『イラリア・デル・カレットの墓碑』(1407頃) は有名

4 黒人霊歌にジャズとブルースがハグした福音ソング

5 ↔公務

6 А点〜В点。駅伝競走の──新記録

7 スペインの超現実主義の画家。髭と奇行も名高い。『記憶の固執』

8 「荘厳の聖母」のことで、イエスを膝に抱くマリアを中心とした図像です

10 カンフー映画のブルース・──

12 アメリカの画家。自然と人間を詩情豊かに精緻に描く (1917〜2009)

14 芸術作品を陳列して見せる──会

16 江戸三座の歌舞伎劇場とは森田座・中村座・──

18 世紀末の虚無的、頽廃的芸術傾向

20 А＞В、А≦Вといった形で表す

22 ナマコの卵巣の干物。コノコとも

24 超絶技巧で有名なピアニスト。『ハンガリー狂詩曲』の作曲家でもある

27 アンデス高原原産のキク科の根菜。キクイモの近縁で日本でも栽培

29 オーストリアの作曲家。『美しき水車小屋の娘』『死と乙女』など多数

31 東京芸術大学は美術とこれが二本柱

33 アルゼンチン最南部、フエゴ島南岸にある観光基地の都市。3文字目は「ア」と書かれることも

34 謎の古代文字や蚯蚓書、さらにはピカソの3D絵画を読みとくこともこれ

36 クレーム排除の平等なわけかた

39 バロック後期、ドイツのオルガン奏者で作曲家。『マタイ受難曲』

41 観世・金剛・金春・宝生・──が能のシテ方の五流派

43 歌舞伎で──の足を務めるのは三流役者というのがお定まりだった

44 版画村美術館もある日本海の島

45 トリチェリにちなむ圧力の単位

⬇タテのカギ

1 自粛せず、自分の醜悪な部分をわざと露出。──趣味

4 天国を目指し高くそびえる建築様式。例：パリのノートルダム大聖堂

7 水に溶けきらない小麦粉の固まり

9 ルネサンスとバロックの端境期の、極めて技巧的な芸術様式

11 折り方、畳み方を工夫して、1枚の絵をさまざまな形相に変えるもの

13 書画の真贋調査にも活躍する拡大鏡

14 天女の着る衣服。──無縫

15 画廊で絵を物色する視点ではなく、地球から見た場合の、天球上の天体の見掛けの位置。apparent place

17 広く世に流布し伝わることです

19 「ヨーロッパ自由貿易連合」の略

21 ダーティーなる密着、密接。例：悪徳画商とフェイク画家

23　色彩効果で勝負するタイプの画家
25　↔権利
26　茶道具や食器をしまう、棚や引き出しのある家具
28　ヒンドゥー教徒は食べないモー
30　トロイのアポロン神殿の神官。バチカン美術館所蔵の、2人の息子とともに大蛇に襲われている『──群像』は迫力です
32　与党、野党を問わず政党のボス
34　幕末の田原藩家老で、肖像画に優れた渡辺──。『鷹見泉石像』
35　費用や原価。──パフォーマンス
37　グラス──、サンド──なら四季を問わず滑りOK
38　油絵で画布の代わりに描く板

40　浮力増強環状器具。例：救命浮環
42　ラスコーやアルタミラの──の壁に残る彩画や刻画が──美術です
44　映画の画面だけではわからない、日時や場所などを説明する補助字幕
46　歌舞伎役者が役柄を強調する、線とぼかしのド迫力メーク。──取り
47　ウィーン古典派三巨匠の1人。オラトリオ『天地創造』『四季』
48　女声の最低音域。コントラルト

33 秋のまちがい探し
作●畠山モグ

まちがい探しでちょっと気分転換しましょう。秋の情景を描いた上下の2枚の絵には、7カ所の違いがあります。全部探し出してください。

第**4**章

冬

四季が武力で戦ったらいちばん強そうです。
なにせ冬将軍がいますから。

34 冬がやってきた

春を待つ季節。でも冬は冬で楽しい。

作●小瀬旬

➡ヨコのカギ

1　雪玉を２つか３つ積んで作るもの。炭団で目鼻をつけたりする

2　科目の１つである図工の「図」

3　イソップ寓話で、アリとは違って夏を遊んで暮らし、冬にひどい目にあう昆虫

4　１ケタの素数の中で最大

5　12月25日。イブの方が盛り上がる？

6　娘。１人目の娘は長──

7　違反のないようにする監督。忘年会シーズン、警察官が車を止めて飲酒運転の──をしていたりする

9　死中に──を求める

11　代表的な➡5ソング、『ジングル──』

12　大晦日に有名歌手が紅白にわかれてこれで合戦する

14　囲碁や将棋の対局記録

18　海辺にあること。──工業地帯

20　スポーツの試技や予選。タイム──

22　42.195kmの競走。ホノルルも東京も青梅も、冬に行われる

24　ムササビに似るがムササビより小型

26　安全──　ネクタイ──

27　からだのこと。「胴体」がなまってこうなったという説も

29　寺社で熊手が売られる酉の──は、冬の訪れを告げるイベントでもある

31　冬によく見えるふたご座の一等星。「冬のダイヤモンド」を構成する

32　──ヒーティングのビルだと、熱源装置が１カ所でも全体を暖められる

33　冬においしい、橙赤色の甲殻類。花の名前がつけられている

34　「おめでとう」と渡す金銭

37　力士は結っている

40　味がつけられたものもある、海藻由来の食べ物。冬が旬

42　真冬日で、体の──まで冷え切った

44　代表的な出世魚。冬が旬

46　↔プロ

47　煙突掃除をしっかりしておかないとサンタさんが──まみれになるかも

49　節分に「鬼は外、福は内」とまく

⬇タテのカギ

1　冬至の日にお風呂に浮かべたりする柑橘類

3　⬇10に入れたりする春菊の別名。「ドントリッスン」と言われてるみたい

5　年末ジャンボ宝──で運試しするか

8　心配や懸念。明日の天気が──だ

10　温かく食べられる冬の定番。湯豆腐も水炊きもチゲもこれ

13　切り取った芽や枝を、すでに根付いた別の個体の茎や枝につなぐこと。果樹の繁殖などで使われる

15　年末の帰省の際は、──を狙う空き巣の被害にあわぬよう戸締まりを

16　昨日から何も食べてないので、パン１枚では腹の──にもならない

17　⬇25のこと。──も玻璃も照らせば光る

19　スキー客を山の上のほうへ運ぶ

21　『──がサンタにキスをした』という

72

タイトルの→5ソングもある

23 巨大な牙を持っていた、すでに絶滅したゾウの一種

25 トルコ石とともに、12月の誕生石とされる宝石。別名↓17

28 くみしやすい相手。いい——にする

29 学級——　実行——　民生——

30 「水難の——が出ています。池に落ちたりしないよう気をつけて」

31 →5の頃によく出回る植物。赤く見えるのは花ではなくて葉

33 1人のランナーも出ず、三者——で1回の表が終了

35 カリとも呼ばれる鳥。北海道や東北に冬鳥として飛来する

36 「段」や「殿」の部首

38 大きい石。一念——をも通す

39 ——突き合わせる＝対立する

41 冬は、——が終わり、新しい——が始まる季節

43 青龍・朱雀・白虎と並ぶ四神の1つ。四季では冬を担当

45 片付けること。冬物衣料一掃と称して——セールを行う洋服店も

48 首を守る防寒具。マフラー

50 関西で「——鍋」といえばスッポン鍋のこと。スッポンは秋から冬にかけてが旬

51 黒い燃料でおこした、遠赤外線を発するといわれる火。冬の季語

52 コットン。保温性の高い——100％のパジャマで、冬も安心

73

35 暖かいものあれこれ

曇った窓に絵を描こう。

作●ヤンマー部隊隊長

➡ヨコのカギ

1 リビングの床がポカポカ暖かくなる家電。冬はこの上で寝転びたいです

2 ⤵14は哺乳——、⤵19は鳥——

3 天ぷらや煮物もおいしい、肉厚の十本足。旬は春ともいうが通年出回る

4 鍋料理の味付けにも使われる、日本を代表する液体調味料

5 和装のときに履く靴下

6 帽子。降参するとき脱ぎます

7 ラテン語で「乳」。冷たい——アイスを暖房のきいた部屋で食べたい

8 おいしいお鍋を食べてニッコリこぼれます

10 お鍋のスープを、こうとも呼びます

13 冬は鍋焼きにしてもおいしい麺類

14 薪を燃やして、部屋を暖かくします

17 薪ストーブに火をつけるときに使うのは燃えやすい杉の枯れ葉など

18 鉄粉の酸化熱で、開封してから半日〜１日くらい暖かさが持続します

20 ためしにやってみること。2017年に流行ると言われた「フルーツ鍋」は斬新な——だった？

22 後部。自動車の「ＲＲ」は——エンジン・——ドライブの略です

24 韓国のお鍋。コチュジャンが入ったピリ辛の味付けが多いです

26 寝床がポカポカ暖かくなる家電

28 おでんに辛子をたっぷり付けたら、激辛で——的な味に

30 ➡１や、⤵25の天板は、上から見るとこんな形が多いです

31 セカンドまで行けました

32 見えすいた、——劇

34 住まい。——捜索

36 まだ知らないこと。——との遭遇

37 企業のフレックスタイム制度で、必ず勤務を行う時間帯は——タイム

38 お肌の内側。水炊きなどに使う鶏のもも肉にも——脂肪がついています

40 テーブル。鍋を囲むのは食——、牌を広げるのは麻雀——

⬇タテのカギ

1 牛や豚の内臓肉。もつ鍋に使います

4 鍋料理に入れる鶏肉を湯通ししたり、椎茸を飾り切りしたり。料理は——が大事です

9 ２つで１つ。——カム

10 ⤵16に入れるお湯を早く沸かすために、コンロの火力をこうする

11 もみじおろしや柚子こしょうなど。鍋料理をより美味しくしてくれます

12 お金を派手に使ってあそぶ

14 逃亡ラビット。——の如く逃げる

15 ハンターを日本語で

16 寝床に入れて足や体をポカポカに

19 オウムの仲間でオウムより小さめ

21 グラム×1000＝——グラム

22 実験でアルコールランプやガスバーナーを使う教科

23 ロシアの➡14。北原白秋が作詞した童謡の題名にも

25 下半身がポカポカ暖かくなる暖房具。

クロスワードの番号（盤面）

1	9		15		23	27		█	37	41
2		█		█	24		█	34		
3		12		19		█	31			
	█	13				█	28		█	
█	10		█		20	25			█	38
4			16	█			32	35		
5		█	17	21		29		36		█
	█	14			█	30	33		█	42
6	11		█	26				39		
7		█	22		█	█		40		
8		█	18							

昔は練炭や豆炭を使っていました

26 遭遇すること。別れの始まり？

27 櫛や将棋の駒に使われる木材。漢字では「黄楊」

28 鱈ちりに使われる鱈の身の色

29 神仏や悪魔が人間の姿で現れたもの。悪の――、神の――

31 エスケープする経路。確保しておきたいものです

33 旅の恥は

34 水の消毒に使われる次亜塩素酸カルシウムのこと。昔の水道水は――臭いと言われました

35 思慮のない、――な行動は控えよう。闇鍋にタランチュラを入れたりとか

37 鍋から立ち上る水蒸気は気体、鍋のスープは液体、では鍋そのものは？

38 灰の中に炭火をおこして使う、昔ながらの暖房具

39 能や狂言でおこなわれる歌唱。能のは謡曲ともいう

41 みんなで鍋料理をするとき灰汁を取る係の人のことを、時代劇の役柄をもじって、こう呼んだりします

42 母。手作りの鍋料理は――の味

36 頭をよぎる冬の歌

口ずさむ息も白くなる季節です。

作●はいカード優さん

➡ヨコのカギ

1　冬の風物詩を歌ったレミオロメンのヒットぉぉぉぉぉ曲ぅぅぅぅぅぅぅ

2　絵を描く人。アニメ『エスパー魔美』の魔美の父はこの職業で、「雪の降る街を」の回では彼の若い頃に雪の中で体験した、少しふしぎな出来事が音楽が流れる中で描かれている

3　ビリヤードや麻雀をするテーブルによく緑のものが使われている布地。裸の者を、覆うこともできる？

4　布や服、そして馬の模様の１つ

5　アルコールを飲ませてくれるお店。『↓14──』は細川たかしの曲

6　「チェスで最も多い駒でしょうか？」「ピンポーン♪　その通り！」

7　きちんと整備がされているスキー場。冬の女王とも称される広瀬香美の曲は『──がとけるほど恋したい』

9　英語でGRAYやGREYという色。なお、『Winter,again』を歌ったロックバンド、グレイのスペルはGLAY

12　──メタル　ミディアム──

13　旅立ちの前の準備。ちなみに、globeの曲の➡15の『DEPARTURES』は「旅立ち」の意味

15　表題

17　「鬼は外、福は内」「愛に雪、恋を白」など、対になっている２つの文言

19　神様が宿っているとされる聖なる物（の丁寧な呼び方）

21　冬場には白くなりやすい。『WHITE──』はT.M.Revolutionの曲

22　尺貫法の長さの単位。約３センチ

23　いとしさを感じる相手。『白い──達』は桑田佳祐の曲

25　新星。超新星はスーパー──という

26　冬になると曇りがちな装着物

30　大笑いより控えめ。『冬のソナタ』でブレイクした俳優ペ・ヨンジュンのニックネームは「──の貴公子」

31　2011年に『ウィンターマジック』を歌った韓国の女性アイドルグループ

33　最近のネット動画ではよく流れる

35　冬に咲く花の１つ。『──の宿』は、大川栄策の曲

37　『Last Christmas』を歌ったイギリスの２人組ミュージシャン！

38　カキじゃないほう。たとえば長野や↓5の五輪はこっち

39　最近はあまり着用されてないらしい女子の運動用パンツ

41　一筋の道。真実──

44　剣の──　──姫

⬇タテのカギ

1　冬が始まる頃に吹く風。小泉今日子の曲『──に抱かれて』

5　『虹と雪のバラード』は、昭和47年にこの都市で開かれた五輪のテーマ曲

8　ヒット曲『雪の華』を歌った歌手

9　雪でもくもりでもない天気

10　初詣など人が多く集まる場で、屋台を出しているヤツ

11　毎年２月のとある時期によく流れる

国生さゆり with おニャン子クラブの曲『──・キッス』

14 冬を歌った演歌によく登場する方角

16 映画『アナと雪の女王』では声優を務め、『Let It Go〜ありのままで〜』を歌った女優は──たか子

18 ↔以前

20 毎年12月のとある時期によく流れる山下達郎の曲『クリスマス・──』

22 親はスジじゃなくイクラと同様に鮭

24 日本では『①45讃歌』のメロディとしてお馴染みのアメリカの民謡

27 キューバ生まれの音楽。リズム速めの4分の2拍子が特徴

28 寒空の下で歌うPVも印象的なSMAPの曲『夜空ノムコウ』の作曲は川村

結花、作詞は──シカオ

29 冷えないようスヌードやマフラーを

32 童謡『雪』では、こたつで丸くなる

34 高知県の昔の呼び名

36 1997年にリリースされたSPEEDの大ヒット曲。直訳すると白い恋?

40 なまえ。『スノーマジックファンタジー』を歌ったSEKAI NO OWARIのバンド──には、戦争反対を表す「NO WAR」が隠れている

42 冬が訪れる頃を歌った浜崎あゆみのアルファベット1文字の曲

43 復讐する感情を意味するフランス語。サンドウィッチマンと5文字が共通

45 スキーを楽しめる白銀のマウンテン

46 雪中を走る馬車を歌ったロシア民謡

37 冬が旬の食べ物たち

食べたらちょっと外を走ってくるか。

作●チェバの定理

➡ヨコのカギ

1 冬が旬の野菜。ブロッコリーのように つぼみ部分を食べます。

2 冬が旬の魚介類。「アオリ」や「ケンサキ」とはまた違うおいしさです

3 冬が旬の高級魚。刺身や鍋で食え

5 分配したときの取り分

6 将棋は「指す」、これは「打つ」

7 目が専門のお医者さん

9 新郎新婦が誓いでします

11 冬が旬の細長くて「腹黒い」魚。ヒット曲『おさかな天国』では「ちゃん」付けで呼ばれる

13 精子と結びつきます

15 クリスマスケーキによく使われるため、冬に需要がアップする果物

17 国産のは冬が旬の果物。夏はニュージーランド産が出回ります

19 「イセ」同様に人気の魚介類。養殖物の旬は冬

21 冬が旬の⊖1、大根、ナズナなどを含む科

25 「残された子ども」の難しい言い方

27 足が8本の魚介類。種類は多々ありますが「飯」がつくのは冬が旬です

28 背負いや首などがあります

29 公園や野球場に広がります

30 冬が旬の緑黄色野菜。冬は甘みと栄養が増す

31 酸っぱい果物。国産のは冬が旬

32 どん底。↓26の下の部屋の意味も

33 赤点取ったから受けなくちゃ

34 冬が旬と言われる魚。「ガシラ」と呼ばれることも

36 風車が有名な国。冬にはエルテンスープという青豆のスープを食べます

38 冬が旬の貝。大きな貝柱を食べます

40 冬にこたつで食べる果物と言えば

42 パンダの食べ物

45 肉食魚の代表。冬の季語でもあり、冬が旬の品種もあります

47 日本の言葉

⬇タテのカギ

1 盛んに活動し、良い結果を残すこと

4 冬の日本海で取れる魚介類。タラバと並び人気です

8 会社が得たいもの

10 冬は氷結することもある日光の観光名所、——の滝

12 冬が旬のカキは、生や焼きもよいですが、定番のこの食べ方もおいしい

14 襲ってくる眠気

16 はんぱない暗記量を要求された中国の官僚登用試験

18 冬のおいしい魚介類を食べ続けられるよう、避けたいものです

20 アーム　マッサージ　リクライニング

22 冬が旬の食べ物の1つ、カボチャはこれの仲間

23 冬に北海道に飛来する鳥

24 似た意味を持つ言葉たち

26 能や歌舞伎などが上演されます

28 冬が旬の魚介類。こりこりとした食

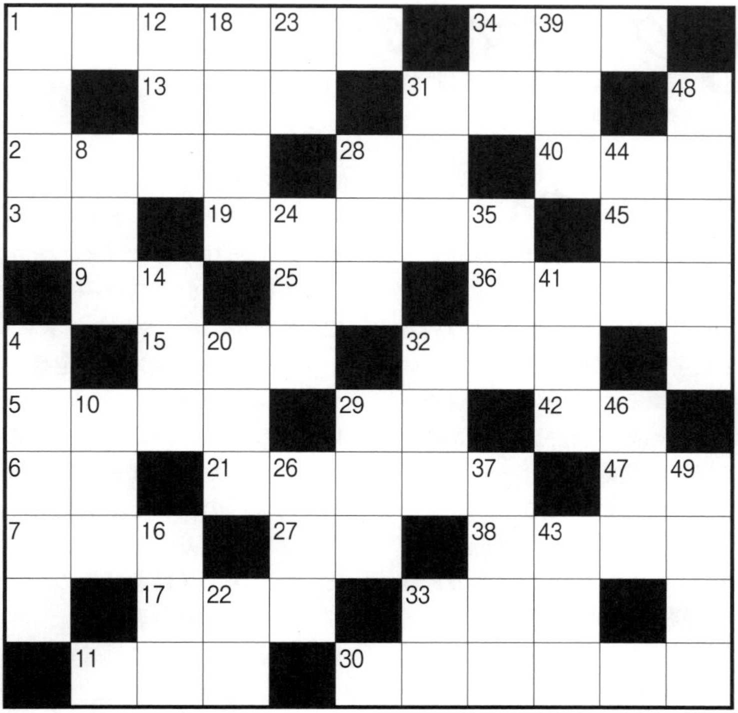

感が味わえます

29　冬が旬のタラは、精巣部分のここも冬がいちばんおいしいと言われます

31　ジャマイカ発の音楽

32　花は春に咲きますが、食べ物としては春と同じく冬も旬

33　冬が旬の魚と聞いて、カワハギやホウボウを思い浮かべたあなたはなかなかの

34　冬に脂がのっておいしくなる鳥。相棒のネギも冬に旬を迎えます

35　音域はバイオリンとチェロのほぼ間

37　ついついひいきしてしまうこと

39　冬から春が旬の八朔や文旦は、――と甘味のハーモニーが楽しめます

41　高低差。――が激しい

43　明治のが有名な政治的変化

44　足し算のこと

46　魚へんに春と書きますが、関東では冬が旬と言われます

48　ゴールデン・アイが特徴の、煮つけなどがおいしい魚。脂がいちばんのっている冬が旬です

49　七草粥に入れる、冬が旬の野草

38 クリスマスのご予定は

これだけ誕生日を祝われる人（？）も珍しい。

作●天歩

➡ヨコのカギ

1　ベッドのそばにぶら下げておやすみ。クリスマスプレゼントが入ってるよ
2　クリスマスや大晦日のある月の別名。僧「２文字目はワじゃ、ああ忙しい」
3　ケーキにも乗るマロンはこの植物
4　キリストを始め、新約聖書の人物が多数登場する長編小説『――・ハー』
5　使い古して性能が落ちる
6　➡30から聞こえてくる「ハレルヤ」や「アーメン」はもともとこの言語
7　町よりは規模が小さい
9　ツッコミと一緒に漫才してる
12　大ケガの治療時に流出分を補給
13　ジャガ　サツマ　タロ　ヤム
14　王の元で生きる人々
17　クリスマスの時期、ケーキや玩具を扱う――は商売繁盛
18　銭湯の別名
20　親指だけ分かれた手袋。プレゼントにもどうぞ
22　切株を模したケーキ、ブッシュ・ド・――はクリスマスケーキの定番
24　「クリスマスは、貴方の生誕祭か？」キリスト「――」
25　ミサを行うカトリックの司祭
26　イブの24は偶数、クリスマスの25は
30　クリスマスに聖歌隊の↓39が流れる
31　山下達郎やback numberなど、今も昔もクリスマスの――ソングは定番
32　流れを横切る、濡れないよう注意
34　サンタクロースはロウバではなく

36　ふるまいをキチンと、――を正す
38　漢字で「合歓」と書く植物
40　2001年リリース『すてきなホリデイ』を歌っているのは――まりや
42　「♪サイレント――　ホーリー――」クリスマスソングの定番、日本では『きよしこの夜』と訳されます
43　クリスマスが舞台の『賢者の贈り物』を書いた作家は――・ヘンリー
45　恋人へのプレゼント購入時に注意、消費税込みだと高額に…？
46　クリスマス時期は年の――
47　未来から見た現在は
48　うっかりミスや勘違いが多い？性格

⬇タテのカギ

1　クリスマスソングはこのジャンルにも名曲が多数。バッハの『クリスマス・オラトリオ』や、チャイコフスキーの『くるみ割り人形』が有名
4　クリスマスツリーのてっぺんにある☆の正式名は「――の星」
8　プレゼントに結んでる色とりどりの
10　くりんと可愛い――な瞳
11　水不足につき――制限
14　素敵なプレゼントは一生の――もの
15　松と梅のあいだ
16　クリスマスツリーにする木といえば
18　1980年リリース『恋人がサンタクロース』を歌っているのは松任谷――
19　クリスマスと「聖誕祭」は同じ――
21　トナカイに生えている立派な
23　クリスマスイブの別名、漢字２字で

80

25 サンタさんの──は…運送業？

27 「クリスマス」の英語表記は何種類かありますが、いずれにしろ末尾は

28 ホワイトクリスマスの翌朝は一面の──世界

29 社会人、資格の勉強で──アップ

31 1984年リリースの名曲のタイトルと2004年放送のTVドラマのタイトル、どちらも『──クリスマス』

33 アマチュアではありません

35 ──曲折、いろいろありました

36 クリスマスの前日。サンタさんが大忙しの日？

37 ディケンズ作の小説『クリスマス・キャロル』の主人公・スクルージは──にガメツい商人

39 クリスマスがテーマのこれは、多数あります。㋯31や㋓31、㋯40や㋓50で紹介した以外にも、街でさまざまなメロディーが流れます

41 イタリアではクリスマスに、日本では土用に食べる風習があるとか

44 ケーキやチキンを食べすぎた翌朝はこうなるかも

46 俳句を愛好する人の集まり。12月に開催されると「クリスマス」「ポインセチア」などの入った作品も

47 クリスマスに贈るメッセージ付きの

49 パーティの翌日、余ったターキーやチキンはここで凍らせて保存

50 1992年リリース『クリスマスキャロルの頃には』を歌ったのは稲垣──

39 いいねえ、温泉
言葉も心なしか暖かい。
作●ニコゴリ

➡ヨコのカギ

1 その昔、海中から温泉が湧出していたのでこの名がついた伊豆の温泉地

2 昔は七輪にコレで暖を取ったり煮炊きをしたもんだ

3 ——飲み ——水仙 進軍——

4 縄文 弥生 かわらけ

5 未熟者

6 役立たず、愚か者。——の棒

7 ゆくて。卒業後のは指導を受けたりも

10 「草津の上がり湯」と言われ、『千と千尋の神隠し』のモデルの1つとも言われている——温泉

12 内容の充実している度合

14 温泉 温泉を含む癒しの総合施設

16 硫黄やらリチウムやらラドンやら含まれるコレにより温泉の効能も多様

18 旅先の温泉などに長らく滞在します

20 温泉で気も緩み飲みすぎて翌日は…

22 湿った脱衣場の床はコレで清潔にね

23 ここから温泉が湧き出ていますよ…と温泉地の名称によく使われる

24 春遠からじ…とはいえ寒いので温泉にでもつかっていたいこの季節

26 この温泉郷の近くには殺生石や金毛九尾の狐伝説が伝わっている

28 別府——巡りは「血の池、龍巻、白池、鬼石坊主、鬼山、かまど、海」の7カ所などが見ものだ

30 婆さんを善光寺に引いていったぞ 歩みが遅いから馬に乗り換えようか

31 コレが0度の地帯なら「寒い冬」なんてないでしょう

33 ——立ちが良ければ美男美女 ——が付けば大体の見通しが立つ

36 治療のために温泉に浸かる

38 カーリングで滑らせる 丸く並んでりゃミステリーだ

40 雨降りでも日照りでもさしますよ

42 風呂の洗い場などに水切り用に敷く

44 正月を控えてコレと杵で餅つきを

46 入浴の時にすくう道具

48 浅間山やら普賢岳やら桜島やら富士山だって…温泉地にはありがちだが、いざ噴火したりするとやっかいだ

49 農作物のうち成熟の早い種類

50 東京では23区以外の市町村

52 丸く細長く中は空

⬇タテのカギ

1 火山島であるこの国では地熱発電が盛んで、世界最大の露天風呂や多数の↓54もある。地上でプレートの境目も確認できるそうだ

5 豊臣——も愛した、関西の奥座敷とも言われる有馬温泉

8 ウイルス感染を防ぐには3つのコレを避けましょう

9 他人の家に寝泊まりし飲み食いも

11 どうか揃えて返しておくれ

13 ——ワード 顔—— やり過ごす

15 ——ぽっくり ——茸 這——

16 飛騨川沿いで御嶽山にほど近い、日本三名泉の1つ——温泉

82

| | | | | | | | | | |
|1| |11| |23| |32| |42| |53|
		12	17			33	37			
2	8		18		29				49	
3		13		24			38	43		
		14	19		30	34		44		
4	9		20	25			39		50	54
	10	15		26			40	45		
5			21		31	35		46	51	
6			22	27			41		52	
		16				36		47	
7				28				48	

17　納豆などを包む藁のたば

19　おしろい叩き

21　百舌鳥・古市──群　西都原──群
　　さきたま──群

23　寒い季節には南禅寺名物のコレで熱
　　燗をくいっと

25　缶詰のマグロ

27　渋い温泉や宿場がある、中山道が美
　　濃国から信濃国へと通じるあたり

29　温泉で硫黄の匂いというけれど、硫
　　黄は無臭で本当はコレの匂い

32　入浴の湯を捨てずに翌日また使う

34　清──　辞──　投──

35　老子の説いた恬淡虚無の学

37　温泉熱利用で──栽培も

39　生物最大の目を持ち墨を撒く

41　干天の──

42　指宿温泉といえば──むし風呂だ

43　温泉。熱──、銭──

45　一番風呂のような完全なコレは体に
　　さわるという説もある、少しは不純
　　物が混じっていたほうがいいらしい

47　小料理屋でのこの表示は高いですよ
　　と言う意味？

49　最悪

51　洒落てる　妙だ

53　温泉のようだけれども水温は摂氏25
　　度未満

54　時を置いて周期的に吹き上げる温泉

40 雪がしんしんと

ワクの中に言葉を降り積もらせよう。

作●ひらやまひらめ

➡ヨコのカギ

1 冬の一大イベント「さっぽろ――」。閉幕後の雪像取り壊しも隠れた人気

2 1912年、白瀬中尉率いる南極探検隊が到達した――雪原

3 代表的な常緑樹。兼六園の雪吊りは、毎年「唐崎――」から始められる

4 雪の重さを実感する危険な重労働。貯めないうちにこまめにがおすすめ

5 物事を積み上げていくときの土台

7 ひとりで音楽を楽しむアイテム

8 耳はユズリハ、目はナンテンの実。お盆に載った白い小動物

10 他にまさること。雪道のドライブは４WDが――

11 守る立場。――に回る

14 さらさらと寒冷地域に多く降る。パウダースノーやアスピリンスノーとも呼ばれる

17 ――調査　――が高い

19 二十四節気で冬至のひとつ前。本格的に雪が降り始めるころ

20 雪の多い季節は、これにボアを使ったブーツやコートの出番

24 スノーダンプ、スコップ、雪ベラなどが活躍する作業。さぼると外出できなくなる？

26 この世ならざる――を放ち、男を惹きつける美形の妖怪、雪女

28 暖かくて楽しい雪の家。秋田県横手地方などに伝わる冬の行事

29 「蛍雪の功」夏は蛍の光、冬は窓から

のこれを頼りに勉学に励みます

30 地位が空いていること。国王の座が――になる

31 一面が雪のベールに包まれました

33 その美しさから、古来より花に譬えられる雪の――。六角形のものが有名だが他にも多くの形がある

35 冬枯れの頃に咲く姿は清楚で気品が漂う。別名は雪中花

37 雪が積もると見えなくなるもの

40 カタカナで書く無料

42 ――に耐える　精神的――

45 電線の着雪は、その形から――雪と呼ばれる

46 幅の狭い海峡。潮の流れが速くなることが多い

⬇タテのカギ

1 ピッケル、アイゼン、防寒服で装備し、いざ頂上へ

4 このクロスワードのテーマ。冬、天から舞い散る真っ白な華

6 「この列車は、超快速スノーラビット十日町――直江津行きです」

9 英語ではスノードロップ、フランス語ではペルスネージュ。雪景色にうつむくように咲く白い花

12 往年の力をなくすこと＝――が回る

13 嘘や偽りではない

15 漢字で――偏に雪はタラ

16 白の恐怖襲来、気象庁が大雪――を発表

18 行く手をはばむ未整備の深雪、スノ

ーモービルが頼みの――

19 江戸幕府の役職で、将軍の補佐役

21 ――員　書類――

22 心にとどめておくこと。安全に――して、楽しいスキー旅行を！

23 富士の―― ――姫

25 JR SKISKI 2013-2014シーズンのキャッチコピー「ぜんぶ雪の――だ。」

27 ちょうどよいとき。ウインタースポーツの――が到来

30 心も体もゆったり、――のひととき

32 雪合戦の公式ルールでは敵を雪玉でアウトにしたり、敵のフラッグを奪取したりすることでこれが決まる

34 ２で割り切れない

36 深い雪の上を歩くとき、足が潜らないように履物へ付ける道具

38 滑らない・濡れない・暖かいの三拍子が揃ったものが雪道では頼りに

39 虹の七色のひとつ。ジャパン・ブルーとも呼ばれる

41 攻撃。――の姿勢を貫く

42 雪囲い、二重窓、雪中野菜…、雪国に住む人々の――の知恵

43 刑罰として手や足にはめる

44 今シーズンおろしたての綿帽子

47 スキーがゲレンデなら、スケートはここ

48 終わり、最後。――のすみか

49 中で灯火をともす道具。雪で作るものは米沢や弘前の祭りでも見られる

41 冬の動物たち

この季節ならではの変化を見せる種も。

作●茅ヶ崎うずら

➡ヨコのカギ

1 冬になると日本にきます。瓢湖や風蓮湖など有名な飛来地もあります

2 ヘアケア用品。犬や猫や馬の冬毛用の――もあります

3 ホッキョクギツネの別名。夏は黒っぽいですが、冬はこの名の通り白くてフカフカな毛になります

4 ――権　――運動　名誉――

5 虫の中には木の切り――の下で越冬するものもいます

6 温度変化が急激にならないように使う物。コウモリは――のある屋根裏などで冬眠することも多いそうです

7 シンプルな卵料理

9 冬眠明けの動物はみんな――ぺこ

11 金と日の間

12 バンビといえばこの動物。冬のおもな食料は、枯れ葉や木の皮などだそうです

14 デリケート。――な発言ですね

15 クチバシも脚も長い鳥。南の国で越冬する途中に日本に寄ります

17 跳ねる吸血昆虫。サナギは冬を越えます。幼虫も条件次第で越冬します

18 ――クロースのソリを引くトナカイ。メスは冬になるとツノが生えます

20 北極圏にすんでいる大型獣。海が凍りつくのを待つ間、冬眠中のように代謝レベルを下げて動きます。これは「歩く冬眠」と言われています

22 本州・四国にすんでいる大型獣。胸のマークでおなじみ。冬ごもり中にこどもを産みます

23 冬眠中は頭も手足も甲羅の中

24 別名都鳥。冬の顔は白いですが、日本を去るころは黒い顔になります

25 働き者の昆虫。秋にたくさん食べて冬の間はじっとしています

26 得失。――関係

28 日本アルプスにすむ特別天然記念物。冬は真っ白。脚も袴をはいたようにフサフサになります

30 人様の懐を狙う悪いやつ

31 ハニーを提供してくれる昆虫。冬の間は巣の中でからだを寄せ合い、羽ばたきで熱をおこして暖めあいます

33 冬、雪の中の温泉に浸かっている姿もおなじみですね

34 お坊さんがいます

35 お殿さまがいます

37 本。――を紐解く

⬇タテのカギ

1 顔の真ん中を通る白い線が名の由来。冬眠はしませんが、冬は苦手なので人家に入りこむことも多くなります

5 青森の尻屋崎名物。厳しい冬にも耐えるたくましい馬。冬はアタカと呼ばれる放牧地にいます

8 寒さで出ることも。ヘックション！

9 沖縄や奄美諸島にいる毒蛇。冬眠はしませんが、冬は苦手です。アマミノクロウサギと同じ穴で過ごしていたという話もあります

1	8		13	16		24		32		38
2			14		21					
3		10			22		29			
4				17			30			
		11				25			35	
	9			18			33			
5		15			26				39	
	12			23			34	36	
6			19			31			
		20		27			37	
7				28			

10 凍原とも言います。この地にすむレミングは、冬眠せず雪に穴を掘った巣でくらします

12 ワイドスクリーンの映画

13 時代劇で目明しが吹きます

15 リスにとって冬眠前にたくさん食べられるかどうかは——問題

16 冬の北海道、凍った——にアザラシが来ることもあります

17 冬、白くなっても長い耳の先は黒。茶色の毛のままのものもいます

19 ——わらし　——牢

21 こども用の和服の裁ち方

23 冬、ヒトがポケットに入れて手を温めたりするもの

24 ——栽培　——農業　——物

25 スルメじゃ縁起が悪いので

27 黄金虫が建てました

29 中形の鷹。季節によって日本の中を移動します。冬に海外から来るものもいます

31 寒中——　陣中——

32 舞台の背景

33 祝日とも言います

35 吸い物を「お——」とも言います

36 決まった——を持たない野良猫は、寒い冬には猫団子をつくって暖をとったりしています

38 大トロだの赤身だので喜ばれる魚のこども時代。冬の日本海で捕れます

39 冬の釧路といえばこの鳥。冬は求愛シーズンでダンスも舞っちゃいます

42 冬の生活や行事

寒くても、やることはいろいろ。

作●しきみのる

➡ヨコのカギ

1 冬の寒さで服をたくさん身につけた結果、太って見える

2 漢字で「浪漫」と当てたフランス語

3 ——茶　——十帖　——川の戦い

4 冬の寒さの厳しい期間に冷たい水をかぶって神仏に祈願すること

5 TV業界では放送時間の長さを指す

6 テスト前に——を張る

7 大阪や広島にある、オイスターを楽しむ水上の施設

8 エフとエイチの間

11 「標準」「基準」を英語で

13 年4回あるが、最もポピュラーなのは2月初頭のもの。豆まきをする

15 中を湯で満たして➡41に入れる

18 国にいる人々の考え

20 外套。冬の寒さから服と体を守る

22 冬でも温まろう、と太陽に当たる

24 自分自身に誇りを持つこと

25 「足ごたつ」とも呼ばれる暖房器具。電気を使うものもある

26 奇怪な青白い光で、冬の季語でもある「鬼火」。音読みでこう呼ぶことも

28 ➡1の原因

29 川や湖から蛇口までの一連の設備

31 綿を入れた広袖の着物。冬でもあったか

34 冬の寒さで赤くはれ、痒（かゆ）くなること

36 ご近所の奥様方が主役の——会議

38 冬の寒さから首を守る細長い布

40 今上天皇は2月23日——

41 かつて冬は綿を入れて厚くしていた寝具。掛けと敷きがある

42 聴覚を司る器官

43 かつてからその土地に定着していた——産業

45 間に「が」が入っても、最後に「ん」がついても同じような意味

⬇タテのカギ

1 11月23日は——の日という祝日

7 冬の太平洋側は空気が乾燥しているから、これに注意しよう

9 『アラジンと魔法のランプ』でランプをこすると出る

10 雪山を登り、滑降して楽しむ冬のスポーツ

12 手強い相手との大変な争い

14 くどくどと自分勝手に——を並べる

16 多くのキーボードでQの左のキー

17 行——　隊——　並——　羅——

18 もち米に米麹と焼酎を加えて発酵・熟成させて作る調味料

19 背負った子どもを温かくする半纏（はんてん）

21 パーツ　コンポーネント

23 ↔ネガ

25 旅行者のためにその土地の名所・名物・交通手段などを記した書物

27 野球で「3」で示される守備位置

30 笑う——には福来る

32 最近は成人式を「新成人の——」という自治体も

33 甘い物やおせんべいなどの入れ物。来客時などに卓に出す

1		12	17	■	25		33	■	42	46
	■	13		21		■	34	39		
2	9		■	22						■
3		■	18			■			43	47
4		14		■	26	30	■	40		
	■	15		23	■	31	35		■	
5	10		■	24	27	■	36		44	
6		■	19	■	28	32		■	45	
■	11	16					■	41		
7			■		29		37		■	
8		■	20			■	38			

35 言葉や概念を明確に限定すること

37 江戸時代の冬の農家はここで、わらじを編む副業などをしていたとか

39 鳥・豚・牛の内臓

40 家の玄関の反対側にある扉

41 婚姻届を提出した男女の関係

42 沖縄県の西部にある市の名前。伊良部島や下地島も含まれる。冬でもあったか

44 野球で攻撃するために使う道具

46 猫の毛色の1つ。白黒茶のぶち

47 2月14日。日本では好きな人にチョコレートをあげる日らしい

43 冬の自然

冬の自然同様、厳しい問題となっております。

作●閑無月

➡ヨコのカギ

1　冬のものは地方によってあなじ、ならいと呼ばれる

2　白、ツブ、こし、ねりなどあり

3　清少納言曰く「冬は——」

4　#

5　めずらしいさま。——妙、——奇、——味

6　水は0℃で——する

7　たまごのからの単なる音読み

10　フランス語でキャベツのこと。——クリーム

12　一級のものは「冬将軍」などと呼ばれることも。ブルブル

14　オリオン座のβ星。和名源氏星

16　㋐21からたれ下がる

17　いざ冬の海へ出漁、のタイミングに鳴るゴロゴロ

21　㋐16がたれ下がる

23　手入れ。アフター——、——マネージャー

25　当たりかハズレか引いてのお楽しみ

27　冬の朝、公園のに氷が張っていることも

29　冬の山からのカラッ風。有名なのは赤城、伊吹、六甲、筑波、比叡など

30　冬日になる気温。－を付けて表す。氷点下ともいう

32　昴の別名。星星星星星星

34　人工のものもある魚卵

36　天気予報「最低気温が、今冬初めて㋐30になるところがあります。各地

38　冬の夜空にひときわ輝く大犬座のα星。中国名天狼

40　クリニック

42　弱々しい日差し。冬のは特に寒々しく感じる

44　雪が降っても美しいチェコの首都

46　赤い実のなる「枸杞」と書く植物

48　能の最初の部分。破急へと進む

での——のたよりが聞けそうです」

⬇タテのカギ

1　典型的な冬型のは西高東低

6　木偏に冬　ギザギザトゲトゲ葉あり

8　みやこ移り

9　宇宙が混沌としていたころ

11　物の重さ

13　日没後の残照

15　水は100℃

17　花束。㋖6を入れて冬らしさを演出

18　「まろのことでおじゃる」

19　浜や入り江のこと。田子の——

20　興味がわいて気が進むこと

22　「支払いは年末にね」

24　苦あれば——あり

26　意気込み。これが過ぎると「肩の力を抜こうか？」とヤユされたりも

28　空や海の色。瑠璃もこの色

31　スポーツ——　フィットネス——

33　成形木炭や豆炭は——燃料

35　タダ

37　㋐40で先生と呼ばれている人

39　本試験が受けられなかった人への再チャンス

41 あき部屋

43 概算支出

44 0℃を上回った──の気温

45 チコちゃんに叱られそうな人

47 音声のみで放送するメディア

49 かつお節などをだしにして作る透明
なおつゆ

50 初冬の穏やかなぬくもりある空模様

44 冬のまちがい探し

作●北条明

まちがい探しでちょっと気分転換しましょう。冬の情景を描いた上下の
2枚の絵には、7カ所の違いがあります。全部探し出してください。

第5章

新年

四季がめぐって一区切り。
新たな気持ちでラスト3問。

45 おせちやお雑煮がたっぷり

先人の知恵に思いを馳せつつ。

作●あさり

➡ヨコのカギ

1 新年に食べる⊖15は「良いことが重なるように」これに詰める

2 これも新年に食べる料理。すまし汁タイプ、味噌ベースと日本各地でさまざまだが、↓7を入れるのは必須

3 スイカとトウガンに共通する漢字

4 いい人だなあ、と抱く

5 袋やバッグの厚みになる部分。これがないと底の無い平面の形になる

6 栗とさつまいもで作る⊖15

7 セキとアイダに共通する部首

8 湯のみに立つと縁起がいい

10 見通し良く過ごせるように食べるレンコンの⊖15

12 土が水を含んだもの。ぬかるみの素

15 「子孫繁栄」「五穀豊穣」など、構成要素それぞれに意味がある縁起物

17 「まめに働く」を表す⊖15。錆び釘を入れて煮るときれいに仕上がる

19 布や紙の表面がこすれてできる繊維の乱れ

20 長崎では「カステラ蒲鉾」と呼ばれたりもする⊖15

22 ある野菜に実が似ていることからこの名がついたサクラソウ科の野草。本家は紫のよく見かける野菜だが、この花の実は小さく見つけにくいらしい

24 そこに至るまでの過程

27 横綱、大関、関脇、小結を除いた幕内力士

28 ⊖2や⊖15を食べるとき飲む酒

30 頭がたくさん固まっているように見えることから子孫繁栄を願って食べる⊖15

32 美脚の代名詞のウシ科の動物

33 向かい合ってするコミュニケーション

34 小学2年で習う81の計算

36 糸を紡ぐ生物。絹糸を作る

37 サハラ、ゴビ、ナミブが代表的

39 新婦＝花——

40 香りの良い柑橘類。皮を刻んで⊖2に入れたりする

42 従順な様子。——諾々

⬇タテのカギ

1 寺や墓、道端に佇む小さな石像

4 「喜ぶ」を表す海産物でニシンなどを巻いた⊖15

7 蒸した米を杵でついたもの

9 分数で表せる数

11 派手な着物姿で楽器を演奏し店の宣伝をする団体

13 「海胆」とも書く海の生物

14 ——テクノロジーは生物学や生化学をもとにした技術

16 思っていることを隠さず述べる

17 「のき」をつけて呼ぶこともある常緑の巨木

18 社会における体面は——体、すれてずる賢くなっていることは——ずれ

20 ⊖2の味のベース。かつお節や昆布などでとる

21 感情が生まれるところ
23 商人が海産物や野菜を仕入れる施設
24 室内で着る和の防寒具
25 大根とにんじんの千切りを酢漬けにした⊖15。⊖40を入れることも
26 ↔日本間
27 原稿用紙に最初から印刷されているもの
28 築地から↓23が移転した東京の地名
29 縁日で露店を営む商人
31 背中が曲がっていることから長寿を表す、⊖15の定番の甲殻類
32 服装や化粧で他者に扮すること
33 「めでたい」につながることから、⊖15の定番となっている魚
34 糸を紡ぐ生物。獲物を捕らえる罠を張る
35 よくわかること
37 有田焼の産地
38 ゴカイやイソギンチャクのうねうね動く部分
41 ⊖2や⊖15を食べるとき使用する。袋に寿の字や水引がついている
43 ──が入ったマニキュアはキラキラ光って見える
44 ⊖15の定番のニシンの卵
45 ⊖15の定番の鮭の卵。↓44もこれも子孫繁栄を表す

46 紙上で百人一首

カッコ内の数字は、百人一首の歌番号です。

作●茶の湯

➡ヨコのカギ

1 各種競技かるた大会の決勝の地

2 家のかるた取りだと罰はしっぺとか

3 えにし。——語は百人一首に多くみられるレトリック

4 春の夜の夢ばかりなる手——に(67)

5 清少納言が、口止めの意で元夫の橘則光に送った海藻

6 おおけなく浮世の——におおうかな(95)

7 世の中に絶えて桜のなかりせば——はのどけからまし（業平）

8 定家が概ね生年順につけた番号で、天智天皇がトップなら順徳院は？

11 恋愛譚や恋愛事件。百人一首のうち43首はこれに関するものという

14 平安貴族の平服

15 朝餉や夕餉

17 恋の成就のためなら惜しまぬ

18 ほととぎす鳴きつる——をながむれば(81)

20 あらわになる。平兼盛(40)や壬生忠見(41)の秘めていたはずの恋心も

21 寺院の建築物。七堂——

23 あけぼの　夜　夕暮れ　つとめて

25 2月15日　花の下にて春死なん

26 皇族の詠んだ和歌

28 ありの実

29 真珠の古名

30 荻の葉に変わりし風の秋の声やがて——の露くだくなり（定家）

32 細長くて木や金属でできている

34 われら大和民族の一大特徴

35 来ぬ人をまつほの浦の夕なぎに焼くや——の身もこがれつつ(97)

36 熟睡ではなく

37 風そよぐならの小川の夕暮れはみそぎぞ夏の——なりける(98)

40 苗字

41 有馬山——の笹原風吹けばいでそよ人を忘れやはする(58)

⬇タテのカギ

1 ——いく野の道の遠ければ(60)

5 ——八十島かけてこぎいでぬと(11)

9 だから野良には出ず家で書を読む

10 長からむ心も知らず——の乱れて今朝はものをこそ思え(80)

12 ⬇1の歌をもって「母は——」と切り返した小式部内侍

13 まわしの一部。前——、立て——

14 えんどう

15 紫式部(57)の娘大弐三位(58)は、後冷泉天皇の——だったときも

16 食べ物を入れる器。多くは蓋付き。食籠と書く

18 あな——

19 読み札に描かれた絵で、⬇28の式子はこれだったりする

22 独り楽しむと書く玩具

24 だから百人一首には選ばれない

26 1951年に国宝に指定された広隆寺の——菩薩像は「国宝第一号」とされる

27 はごろも

28 定家との忍ぶ恋を詠んだとされる式

1	9	13	16		24	27	■	35	39	42
2			■	25		31				
3		■	17	19		■	32		■	
	■	14			■	28		■	40	
4	10		■	20		■		36		
■	11			■	29					■
5		■	21		■		37		43	
6	■	18		■	30	33		■		
■	15		■	26			■	41		
7	12		22	■	34	38				
8		■	23							

子(89)は

31 橋の欄干などにみられる飾り

33 寝殿造の建物をつなぐ廊下

35 雪　花　雨　空　色

36 きりぎりす鳴くや霜夜のさむしろに
衣──独りかもねむ(91)

38 哀調をおびた鳴き声が口笛に似る鳥

39 きりさめ

40 坊主めくりでは最強の札とされたり
する(10)

41 アイヌの神事に用いる祭具。「この度
はぬさも取りあえず」(24)の「ぬさ」
と似て非なるもの

42 流刑地が所以の後鳥羽院(99)の異称

43 ↑の子の順徳院は佐渡にされた

47 新年おめでとう

新年のあれこれ満載。かなりの難問です。

作●静山怒

➡ヨコのカギ

1 正月早々テレビや寄席で笑門来福
2 説法を仕掛けたら多分返り討ち
3 大国主を火難から救った嫁が君
4 御仏壇のチャイム
5 年頭に開き無駄に吉日など調べて見
6 越後縮を織る糸で別名からむし
7 新年に初めて沸かす風呂
8 橙と紙と藁代に手間賃あとは御祝儀
11 いろいろな事。──万端
14 正月の元旦、7日、16日の三節会に供する酒の略称
16 正月興行の芝居や映画の──を入手
19 白米や乾物盛り沢山の飾り物。蓬来
21 傷薬の油がとれる蛙だよお立ち会い
23 消防隊が去って現場はまるで火の消えたようってね！
24 フルスイング晴れ着の袂(たもと)引っ掛かり
25 世界文化──に登録された富士山に登り迎える初日の出
26 見る時は七福神と同舟で白河宝船
27 茶碗の上に跨がる無作法
28 「──よきことは美しき哉」實篤
29 能『高砂』で熊手を持ってる方
30 願望に目のない奴を連れ帰り
32 ──ロード　──ハット
33 カセット式でない卓上コンロの行動を扼するもの
35 「新商品、いかがですかー」「いえ、今日は車で来ているので…」
37 安い出前鮨の中の喰えぬ奴（本物の笹でも喰わないけど）
39 新年の物流稼働始めの品
41 新年に初めてこれで髪をとかすことを梳き初めという
43 同じはずなのに生じる数値の違い

⬇タテのカギ

1 出初式でのエンターテイナー
5 紐を巻いて投げてクルクル
9 ぬったり磨いたりで出るなめらかな光沢
10 年の始め。年頭
12 ひょっとこの相方
13 元日の朝に初めて汲む水
15 街灯があっても女性のひとり歩きは危険
17 体操競技種目での広さは12m四方
18 今年の運勢を引いて占い枝に結ぶ
20 一秒の注意を怠って一生の後悔
22 門松は冥土の旅の──塚
24 正月に社寺に参詣すること。初詣で
26 暮れに納めて以来の労働
27 光孝天皇も遊ばれた正月の野草採り
29 田遊びとも言われる、稲の豊作を予祝する神事芸能
31 小正月にはこれを煮て1年の吉凶を占う神事が各地で行われる
32 書き初めは真っさらな紙に──なしの一発勝負
34 笛や鉦(かね)にあわせて舞う唐草の胴
36 大きな目が名の由来となった、鮍とも書く海棲魚
38 『高砂』では老夫婦がここを清掃中
40 正月にはこれに乗るライダーも神社

1	9	13		22	■	27		34	40	45
2			■	23			■	35		
■		14	18		■	28	31	■	41	
3	10			■	26			36	■	
4		■	19				■	37	42	
■	11	15		■		■	32			■
5		■	24			■		43	46	
	16	20			■	33	38			
6	12		21	■		29			■	
7		17		25		■	39	44		
8				■	30					

で祝詞を受けて安全祈願

42 新年にふさわしく『かつぎや』とか
『御慶』なんて噺は如何でげしょう

44 例えば御神酒徳利のような２個揃い

45 開催すると舌を噛みそうな「正月特
番、──シャンソンショー」

46 初日記ずぼらはせいぜいこの期間

•••春•••

1

ハ	ル	イ	チ	バ	ン	■	キ	キ	ア	シ
ナ	■	ス	ズ	ナ	■	フ	ジ	■	カ	ユ
マ	ス	ト	■	ナ	グ	リ	■	シ	タ	ク
ツ	ク	リ	テ	■	リ	ョ	ウ	ア	ン	ジ
リ	ラ	■	ツ	ア	ー	■	カ	ワ	■	ツ
■	ム	ギ	■	カ	ン	ナ	■	セ	リ	■
カ	■	ヨ	コ	■	ピ	ラ	フ	■	キ	カ
ス	イ	ー	ト	ピ	ー	■	カ	ス	テ	ラ
ミ	モ	ザ	■	ア	ス	カ	■	タ	ン	ス
ソ	バ	■	ソ	ノ	■	ワ	カ	メ	■	ガ
ウ	ン	ド	ウ	■	イ	チ	ネ	ン	セ	イ

2

コ	ド	モ	ノ	ヒ	■	イ	ノ	チ	ガ	ケ
イ	ン	ク	■	ト	オ	デ	■	ヨ	イ	ン
■	タ	バ	コ	■	キ	ン	コ	ウ	■	ポ
カ	ク	■	シ	コ	ナ	■	ク	キ	ョ	ウ
イ	■	シ	ョ	ウ	ワ	ノ	ヒ	■	ウ	キ
ガ	ウ	ン	■	ラ	■	ラ	■	コ	ガ	ネ
イ	ン	■	コ	ク	サ	イ	セ	ン	■	ン
リ	ュ	ウ	シ	■	カ	ヌ	ー	■	ナ	ビ
ヨ	■	ラ	ッ	シ	ュ	■	ブ	ツ	マ	■
コ	ミ	ミ	■	キ	メ	イ	■	ク	モ	マ
ウ	ッ	チ	ャ	リ	■	ミ	ド	リ	ノ	ヒ

3

シ	ン	コ	キ	ュ	ウ	■	テ	キ	ス	ト
オ	■	シ	ボ	ウ	■	セ	■	リ	ベ	ツ
ク	ウ	キ	■	ジ	ダ	イ	ゲ	キ	■	コ
リ	ロ	■	マ	ン	■	カ	■	ズ	ツ	ウ
■	コ	ト	バ	■	カ	ツ	オ	■	チ	ャ
ト	■	ホ	タ	ル	ノ	ヒ	カ	リ	■	ク
オ	ク	■	キ	イ	ン	■	エ	ク	ボ	■
シ	ラ	ハ	■	ジ	■	カ	シ	■	タ	コ
ゲ	■	ナ	イ	ア	ガ	ラ	■	キ	ン	ク
イ	ガ	タ	■	ナ	■	ト	シ	ゴ	■	サ
コ	ク	バ	ン	■	ド	ウ	ソ	ウ	カ	イ

4

ア	サ	リ	■	ゴ	イ	シ	■	サ	シ	キ
カ	ン	チ	ョ	ウ	■	バ	イ	キ	ン	グ
ガ	カ	■	カ	リ	チ	■	テ	ン	キ	■
イ	ク	ラ	■	キ	ョ	ゲ	ン	■	ロ	ク
■	ス	ン	シ	■	ウ	ン	■	ソ	ウ	マ
ナ	■	タ	キ	コ	ミ	ゴ	ハ	ン	■	デ
マ	シ	ン	■	ガ	リ	■	バ	ケ	ツ	■
コ	ロ	■	カ	イ	ヨ	ウ	■	イ	ク	ジ
■	ワ	メ	イ	■	ウ	チ	キ	■	ダ	ン
カ	イ	ア	ワ	セ	■	ウ	シ	オ	ジ	ル
グ	ン	テ	■	シ	ジ	ミ	■	ニ	マ	イ

5

タ	ケ	ノ	コ	■	ド	イ	ツ	■	イ	カ
ラ	ム	■	ウ	ス	ク	チ	■	ヨ	モ	ギ
ノ	■	ツ	ボ	ミ	■	ゴ	チ	ソ	ウ	■
メ	バ	ル	■	ソ	コ	■	ヤ	■	ト	サ
■	ス	ギ	ナ	■	シ	カ	ク	カ	■	ヨ
モ	ト	■	ツ	ケ	ア	ワ	セ	■	チ	リ
ズ	■	ミ	ミ	タ	ブ	■	キ	ノ	メ	■
ク	キ	■	カ	■	ラ	バ	■	ハ	イ	ク
■	プ	リ	ン	ト	■	サ	ワ	ラ	■	レ
メ	ロ	ン	■	オ	カ	シ	ラ	■	ア	ソ
ス	ス	■	メ	カ	ブ	■	ビ	タ	ミ	ン

6

ハ	ル	ヨ	コ	イ	■	テ	キ	ス	ト
コ	イ	■	カ	ト	ク	■	カ	エ	ウ	タ
■	ジ	ア	イ	■	ヒ	ボ	ン	■	ユ	ビ
ウ	■	シ	ン	ヤ	■	ヤ	シ	ロ	■	ダ
メ	ダ	カ	■	サ	ト	■	エ	ン	ニ	チ
ハ	ン	■	セ	イ	シ	ュ	ン	■	オ	ノ
サ	イ	カ	イ	■	ヤ	マ	■	ト	ウ	ヒ
イ	■	ラ	ホ	ツ	■	ク	サ	キ	■	ニ
タ	カ	■	ウ	ラ	ラ	■	■	バ	ン	チ
カ	ラ	オ	ケ	■	ム	カ	ン	■	セ	キ
■	シ	ャ	イ	ン	■	ヒ	ナ	マ	ツ	リ

答
え

7

モ	モ	■	ヨ	モ	ギ	■	ト	ツ	ク	リ
ク	ミ	オ	キ	■	ジ	ヨ	■	イ	ラ	カ
ゾ	■	カ	ン	サ	■	ス	タ	ン	ス	■
ウ	ツ	シ	■	カ	イ	ガ	イ	■	ガ	タ
■	チ	ラ	シ	ズ	シ	■	ト	オ	エ	ン
ア	■	ツ	ヨ	キ	■	マ	ウ	ス	■	ス
ラ	ッ	キ	ー	■	シ	ョ	ク	ベ	ニ	■
レ	イ	■	マ	ド	ン	ナ	■	ラ	ジ	オ
■	カ	ウ	ン	ト	■	カ	ツ	カ	■	シ
ソ	ツ	■	ウ	シ	■	ア	シ	タ	バ	■
ボ	ン	ボ	リ	■	ミ	ラ	ー	■	コ	ナ

8

キ	セ	ツ	■	リ	キ	サ	ク	■	ウ	メ
ン	■	ナ	タ	ネ	ヅ	ユ	■	コ	ン	ブ
ポ	カ	■	バ	ン	カ	■	ツ	ウ	■	キ
ウ	グ	イ	ス	■	イ	タ	バ	サ	ミ	■
ゲ	■	コ	コ	チ	■	ラ	メ	■	ド	ア
■	マ	ク	■	エ	モ	ノ	■	エ	リ	■
ス	ギ	■	カ	ン	■	メ	ジ	カ	■	ホ
■	ワ	カ	レ	ジ	モ	■	ユ	キ	ガ	タ
バ	■	ダ	イ	■	モ	ハ	ン	■	ツ	ル
ニ	シ	ン	■	シ	ン	キ	ロ	ウ	■	イ
ク	ロ	■	サ	キ	ガ	ケ	■	ス	ピ	カ

9

ア	オ	■	オ	ボ	ロ	ヨ	■	キ	セ	イ
カ	ミ	シ	バ	イ	■	コ	ウ	タ	イ	シ
シ	ズ	ク	■	ス	シ	■	ス	イ	リ	■
■	ト	ツ	サ	■	ヤ	ヨ	イ	■	ユ	ミ
ム	リ	■	ト	ネ	リ	コ	■	コ	ウ	ミ
ラ	■	ホ	ウ	リ	■	バ	ウ	ム	■	ノ
サ	カ	ン	■	キ	サ	ラ	ヅ	■	カ	ヒ
キ	ザ	■	キ	リ	ン	■	キ	ュ	ー	■
■	グ	ヒ	ツ	■	ゴ	ジ	■	ア	ニ	キ
ハ	ル	ガ	ス	ミ	■	シ	ガ	ツ	バ	カ
コ	マ	シ	■	キ	シ	ュ	ン	■	ル	イ

10

ハ	ナ	ミ	■	カ	ザ	シ	グ	サ	■	ワ
ナ	■	シ	ュ	ン	ブ	ン	■	ホ	リ	シ
ゴ	シ	ョ	■	オ	ツ	■	ド	ウ	■	ン
ロ	■	ウ	ゴ	ウ	■	シ	テ	■	ヒ	ト
モ	カ	■	エ	■	バ	ラ	■	ジ	マ	ン
■	ゴ	シ	ツ	プ	■	ハ	イ	カ	ラ	■
ヨ	シ	ノ	■	ラ	ク	■	カ	■	ヤ	エ
ウ	マ	■	ヘ	ン	■	エ	ダ	ハ	■	ド
チ	■	ハ	イ	■	メ	イ	■	ナ	イ	ヒ
ユ	ミ	ヤ	■	ス	イ	ヨ	ウ	ビ	■	ガ
ウ	■	サ	イ	ギ	ョ	ウ	■	■	ラ	ガ ン

まちがい探し

11

•••夏•••

12

ト	ウ	モ	ロ	コ	シ	■	ニ	オ	ロ	シ
ウ	■	モ	エ	■	ロ	ウ	ユ	ウ	■	コ
ロ	ウ	■	イ	ガ	■	ド	ウ	ミ	ヤ	ク
ウ	カ	ツ	■	ス	タ	ン	ド	■	マ	■
ナ	■	ユ	ウ	ダ	チ	■	ウ	ミ	ノ	ヒ
ガ	マ	■	チ	イ	■	カ	グ	■	ヒ	ヤ
シ	チ	リ	ア	■	ヒ	ト	モ	ジ	■	シ
■	ガ	■	ゲ	ジ	ュ	ン	■	カ	ゲ	チ
ユ	イ	ガ	ハ	マ	■	ボ	キ	■	シ	ュ
ビ	■	テ	ナ	ン	ト	■	セ	ミ	■	ウ
キ	ネ	ン	ビ	■	ホ	タ	ル	ノ	ハ	カ

13

ス	イ	カ	■	ビ	ト	ク	■	カ	ツ	オ
ウ	ニ	■	ア	ワ	ビ	■	ム	シ	■	ク
シ	ン	ジ	ュ	■	ウ	ナ	ギ	■	カ	ラ
キ	■	ナ	■	ア	オ	■	チ	マ	キ	■
■	ヒ	ラ	マ	サ	■	ホ	ヤ	■	ゴ	マ
ハ	ヤ	シ	■	メ	ガ	ネ	■	タ	オ	ル
モ	ヤ	■	ソ	シ	■	キ	ュ	ウ	リ	■
■	ツ	ゴ	ウ	■	カ	リ	■	ン	■	オ
シ	コ	■	メ	ロ	ン	■	シ	シ	ト	ウ
ジ	■	ア	ン	■	パ	ス	タ	■	マ	ト
ミ	ソ	ジ	■	イ	チ	ズ	■	サ	ト	ウ

14

ス	イ	カ	ワ	リ	■	ヒ	ヤ	ケ	ド	メ
ナ	ギ	サ	■	シ	シ	ザ	■	イ	ク	ラ
■	ヨ	ク	シ	■	オ	シ	イ	レ	■	ニ
コ	ウ	■	ヤ	シ	キ	■	ア	キ	ビ	ン
ウ	■	パ	レ	オ	■	カ	ツ	■	キ	■
イ	オ	ン	■	サ	カ	イ	■	エ	ニ	シ
■	デ	■	カ	イ	■	ガ	ラ	ス	■	ー
ニ	ン	ジ	ン	■	セ	ン	イ	■	モ	ト
ツ	■	ユ	シ	ュ	ツ	■	フ	オ	ン	■
コ	イ	ン	■	ウ	ナ	ジ	■	ハ	ダ	シ
ウ	ミ	ビ	ラ	キ	■	コ	ム	ギ	イ	ロ

15

ホ	ワ	イ	ト	ガ	ソ	リ	ン	■	イ	ミ
ネ	ン	リ	ン	■	シ	カ	■	テ	ン	ト
ツ	■	タ	ビ	サ	キ	■	ラ	ン	タ	ン
キ	ッ	テ	■	イ	■	モ	ン	キ	ー	■
カ	マ	■	リ	コ	ピ	ン	■	ア	ン	ダ
ル	■	キ	ス	ウ	■	タ	ガ	メ	■	ツ
ビ	シ	ュ	■	ホ	イ	ー	ル	■	ハ	チ
■	ユ	ウ	ヨ	ウ	■	ジ	■	タ	カ	オ
コ	ツ	ヘ	ル	■	シ	ュ	ラ	フ	■	ー
ダ	セ	ン	■	オ	ユ	■	イ	ガ	ク	ブ
マ	キ	■	ハ	ン	ゴ	ウ	ス	イ	サ	ン

16

ボ	ン	オ	ド	リ	■	ウ	■	セ	チ	エ
ウ	■	ト	ロ	■	ミ	ズ	ヨ	ー	ヨ	ー
ダ	シ	■	ミ	タ	ラ	シ	■	フ	ウ	■
チ	ョ	ウ	チ	ン	■	オ	イ	■	ナ	ヤ
■	ク	ツ	■	ザ	コ	■	ナ	カ	イ	タ
ネ	■	シ	ョ	ク	ジ	ョ	セ	イ	■	イ
ブ	キ	ョ	ウ	■	ツ	リ	■	モ	カ	■
タ	ツ	■	ス	エ	■	ア	マ	ノ	ガ	ワ
■	ク	イ	■	ド	ウ	イ	ン	■	リ	タ
ギ	オ	ン	マ	ツ	リ	■	ベ	ガ	■	ア
シ	フ	ク	■	コ	■	リ	ン	ゴ	ア	メ

17

カ	■	ナ	ギ	サ	■	タ	テ	ア	ナ	■
チ	ャ	ゲ	■	ナ	ツ	イ	ロ	■	ツ	ツ
ユ	シ	■	ク	ギ	■	ヨ	■	ヤ	マ	ナ
ー	■	ナ	ダ	■	カ	ウ	チ	■	ツ	ミ
シ	ー	ツ	■	オ	イ	■	ケ	マ	リ	■
ヤ	■	コ	イ	ノ	バ	カ	ン	ス	■	シ
■	ア	イ	コ	■	オ	ゼ	■	コ	ナ	ン
ア	ト	■	イ	ロ	ケ	■	ア	ミ	■	ド
ク	ラ	イ	■	マ	■	ネ	オ	■	キ	バ
ビ	ン	■	ラ	ン	バ	ダ	■	カ	ジ	ツ
■	タ	ッ	ク	ス	■	リ	ン	ゴ	■	ド

18

■	アカシア	■	ヒグラシ	■
アラブ	■	サツマ	■	イシャ
ン	■	トンガ	■	ワダチ	■	ナ
タイム	■	オシリ	■	ヨスギ
レ	■	シカ	■	ガ	■	ソウミ	■
スエ	■	トケイソウ	■	レオ
■	ミドリ	■	セ	■	クモ	■	ジ
ヒショ	■	オンナ	■	ウサギ
ガ	■	ウシオ	■	ツリシ	■	ソ
サウナ	■	ルツク	■	ヨボウ
■	カミナリ	■	サルビア	■

19

ノウリヨウ	■	ユカ	■	ドヨウ
コツ	■	テマ	■	サイセイシ
ギ	■	カイ	■	ビン	■	イゴ
リサン	■	シヨ	■	ハ	■	シバン
■	シヨチユウミマイ	■	ン
アミ	■	ユ	■	ド	■	ヤ	■	ボカ
ミ	■	コウコウヤキユウ
ドキ	■	コ	■	イケ	■	ブシツ
■	ヨカ	■	アン	■	フネ	■	マ
コウサテン	■	クセ	■	カサ
ウカイ	■	ダイモンジヤキ

20

ニユウバイ	■	ソラモヨウ
ホウワ	■	エアコン	■	ツリ
ン	■	ツケジル	■	ゲタバコ
バジユツ	■	カシツキ	■	ト
レス	■	コクリツ	■	アナバ
■	ベランダ	■	クマゲラ	■
リリク	■	モモイロ	■	ワシ
ツ	■	ラクノウ	■	ニツシヤ
シユイロ	■	レイエン	■	ク
ユカ	■	マナツビ	■	ドシヤ
ウタマクラ	■	キヨクモク

21

ネズミ	■	オトトイ	■	セキ
ツツギリ	■	オイルサンド
■	ウカンムリ	■	カンコウ
ソノタ	■	シアン	■	ゴウ
ウタ	■	ボ	■	メ	■	キク	■	バ
コネクター	■	カンシヤク
ウ	■	ラン	■	ド	■	シ	■	ブチ
■	ナツ	■	ナミダ	■	シカク
カリカタ	■	ナイアガラ
スターマイン	■	キラボシ
ミチ	■	ヤキトリ	■	ミウチ

まちがい探し

22

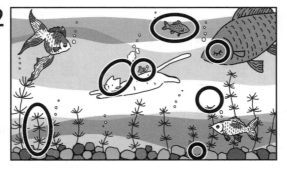

答え

•••秋•••

23

シ	ユ	ウ	ブ	ン	■	キ	ッ	ク	■	ウ
イ	デ	ン	シ	■	ホ	ン	■	セ	ビ	ロ
タ	ン	ダ	■	ア	オ	モ	リ	■	ジ	コ
ケ	■	メ	シ	ベ	■	ク	ン	シ	ュ	■
■	ジ	シ	ン	■	ア	セ	■	キ	ッ	テ
ハ	ダ	■	ヤ	マ	ト	イ	モ	■	カ	ン
ゼ	イ	ム	■	サ	チ	■	ヤ	バ	ン	■
■	マ	ツ	サ	オ	■	ト	イ	レ	■	ト
バ	ツ	■	タ	カ	チ	ホ	■	イ	オ	ウ
ト	リ	オ	■	シ	バ	■	ア	シ	カ	ガ
ン	■	ノ	ワ	キ	■	ト	シ	ヨ	カ	ン

24

イ	チ	ョ	ウ	■	タ	カ	ト	ビ	■	ミ
ロ	■	カ	ラ	ク	レ	ナ	イ	■	キ	ド
ハ	デ	■	ゴ	サ	■	ブ	■	シ	ョ	リ
■	マ	ウ	エ	■	マ	ン	ジ	ュ	ウ	■
カ	エ	デ	■	カ	リ	■	ジ	■	ト	オ
ゾ	■	ワ	キ	ミ	■	シ	ツ	ト	■	チ
ク	ダ	■	イ	■	ア	カ	■	チ	ク	バ
■	ガ	イ	ロ	ジ	ュ	■	ナ	ギ	サ	■
ツ	ツ	ジ	■	ユ	■	ユ	カ	■	リ	キ
ミ	キ	■	ラ	ク	ヨ	ウ	ジ	ュ	■	オ
レ	■	シ	ン	ゴ	ウ	■	キ	シ	メ	ン

25

カ	イ	カ	イ	シ	キ	■	シ	ャ	フ	ト
セ	ン	セ	イ	■	ル	ー	ル	■	ウ	ラ
ツ	ナ	■	ネ	ッ	ト	■	ク	ロ	■	ツ
テ	ー	ル	■	キ	■	ソ	■	コ	マ	ク
ン	■	イ	エ	ロ	ー	フ	ラ	ッ	グ	■
ト	ス	■	ヅ	ケ	■	ト	リ	■	マ	ト
■	バ	ス	ケ	ッ	ト	ボ	ー	ル	■	キ
コ	ル	ク	■	ト	■	ー	■	ビ	ジ	ョ
ク	■	イ	タ	■	マ	ル	ミ	■	ヨ	ウ
タ	マ	■	ス	タ	ー	■	カ	ワ	ウ	ソ
イ	タ	ダ	キ	■	ク	ミ	タ	イ	ソ	ウ

26

ド	ン	グ	リ	■	カ	ン	ナ	■	ナ	ゾ
ウ	■	モ	ン	ガ	イ	■	デ	ン	ガ	ク
カ	ミ	ン	■	マ	ツ	ム	シ	■	イ	■
ク	ズ	■	オ	ン	ブ	■	コ	ス	モ	ス
■	ウ	カ	イ	■	リ	ス	■	リ	■	キ
オ	ミ	ナ	エ	シ	■	フ	ジ	バ	カ	マ
バ	■	ア	■	キ	ク	■	ダ	チ	ン	■
ナ	カ	ミ	セ	■	ロ	カ	イ	■	タ	ケ
■	マ	■	レ	タ	ッ	チ	■	タ	ン	イ
ハ	キ	ヨ	ク	■	キ	キ	ョ	ウ	■	ト
ギ	リ	■	ト	ナ	ー	■	リ	ン	ド	ウ

27

■	ア	ケ	ビ	■	マ	ロ	ン	グ	ラ	ッ	セ
ツ	■	ギ	ン	ナ	ン	■	ル	イ	■	イ	
プ	リ	ン	■	イ	■	コ	メ	■	ナ	シ	
ル	ス	■	カ	タ	ヒ	ジ	■	ヒ	イ	キ	
パ	イ	タ	ン	■	モ	ン	ブ	ラ	ン	■	
イ	■	イ	ケ	ス	■	サ	ン	マ	■	ア	
■	ヤ	キ	リ	ン	ゴ	■	サ	ク	ブ	ン	
ア	エ	ン	■	ゲ	イ	メ	イ	■	ト	ノ	
キ	バ	■	カ	キ	■	リ	■	コ	ウ	ウ	
ナ	■	ヌ	カ	■	マ	ツ	タ	ケ	■	イ	
ス	イ	ー	ト	ポ	テ	ト	■	シ	ャ	モ	

28

オ	ク	ヅ	ケ	■	キ	ド	ア	イ	ラ	ク
ノ	ラ	■	サ	ツ	■	シ	オ	■	ブ	チ
ノ	■	ユ	■	カ	グ	ヤ	ヒ	メ	■	コ
コ	ウ	デ	ン	■	ー	■	ゲ	■	シ	ミ
マ	シ	タ	■	コ	テ	イ	■	ド	ブ	■
チ	■	マ	ガ	ジ	ン	ラ	ッ	ク	■	フ
■	ホ	ゴ	■	キ	ベ	ン	■	リ	コ	ウ
カ	シ	■	ナ	■	ル	■	ヒ	ョ	ウ	シ
タ	■	キ	ン	カ	ク	ジ	■	ウ	■	カ
リ	キ	■	ク	シ	■	ヨ	ク	■	ハ	デ
ベ	ス	ト	セ	ラ	ー	■	マ	ル	ゼ	ン

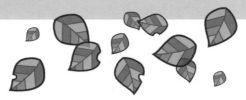

29

チ	イ	サ	イ	ア	キ	ミ	ツ	ケ	タ
カ	エ	デ	■	レ	ジ	■	バ	■	コ	イ
■	ス	イ	ギ	ン	■	ウ	サ	ギ	■	キ
ヤ	■	ズ	■	ジ	ヘ	ン	■	イ	ズ	モ
マ	ツ	ム	シ	■	ラ	■	ス	ン	■	ノ
グ	ル	■	マ	ツ	■	ウ	ミ	■	タ	ガ
チ	■	ア	イ	■	エ	■	カ	ワ	ナ	カ	リ
モ	ミ	ジ	■	タ	ン	カ	■	ラ	■	リ
モ	■	ア	ソ	ビ	■	ク	チ	ベ	タ
エ	ア	■	ニ	■	イ	テ	■	ウ	ブ	ユ
■	サ	ザ	ン	オ	ー	ル	ス	タ	ー	ズ

30

ナ	ガ	ツ	キ	■	ヨ	ル	■	ハ	カ	マ
ガ	■	イ	ネ	カ	リ	■	バ	イ	ク	■
ソ	セ	ン	■	フ	キ	ソ	ク	■	ウ	チ
デ	イ	■	コ	エ	■	ツ	ガ	イ	■	ケ
■	デ	ー	ト	■	ツ	ジ	■	ド	ハ	ツ
ボ	ン	■	リ	ツ	シ	ュ	ウ	■	ロ	ト
ウ	キ	ミ	■	ウ	マ	■	ツ	ゴ	ウ	■
サ	■	ツ	ミ	キ	■	ト	ワ	■	イ	セ
イ	シ	■	ダ	ン	ジ	リ	■	ジ	ン	ジ
■	カ	カ	シ	■	カ	イ	セ	イ	■	ヨ
ガ	ク	ヤ	■	ゲ	ン	■	キ	ン	ロ	ウ

31

イ	シ	ヤ	マ	デ	ラ	■	サ	ト	イ	モ
ザ	ル	■	ト	■	マ	ト	イ	■	ケ	チ
ヨ	■	ダ	ン	ゴ	■	ウ	サ	ギ	■	ヅ
イ	カ	ン	■	ゲ	ツ	メ	ン	■	ト	キ
■	ツ	■	カ	ン	キ	ン	■	ウ	オ	■
ム	ラ	ク	モ	■	ミ	■	カ	ラ	カ	サ
■	ハ	リ	■	カ	ザ	ア	ナ	■	ン	■
マ	マ	■	ゲ	ン	ケ	イ	■	ジ	ャ	リ
ツ	■	マ	ツ	ゲ	■	ス	ス	キ	■	ヨ
シ	オ	■	ペ	ッ	ト	■	モ	■	ボ	ウ
マ	ツ	ヨ	イ	■	ジ	ュ	ウ	サ	ン	ヤ

32

ロ	マ	ン	シ	ュ	ギ	■	カ	イ	ド	ク
ア	ニ	■	イ	チ	ム	ラ	ザ	■	ウ	マ
ク	エ	ル	チ	ャ	■	オ	ン	ガ	ク	■
■	リ	ー	■	ク	チ	コ	■	バ	ツ	ハ
ゴ	ス	ペ	ル	■	ヤ	ー	コ	ン	■	イ
シ	ム	■	デ	カ	ダ	ン	ス	■	サ	ド
ツ	■	テ	ン	ラ	ン	■	ト	ウ	ブ	ン
ク	カ	ン	■	リ	ス	ト	■	キ	タ	■
■	ワ	イ	エ	ス	■	ウ	ス	ワ	イ	ア
ダ	リ	■	フ	ト	ウ	シ	キ	■	ト	ル
マ	エ	ス	タ	■	シ	ュ	ー	ベ	ル	ト

まちがい探し

33

•••冬•••

34
ユ	キ	ダ	ル	マ	■	ポ	ル	ツ	ク	ス
ズ	ガ	■	リ	ン	カ	イ	■	ノ	リ	■
■	カ	ツ	■	モ	モ	ン	ガ	■	ア	マ
キ	リ	ギ	リ	ス	■	セ	ン	ト	ラ	ル
ク	■	キ	フ	■	イ	チ	■	シ	ン	■
ナ	ナ	■	ト	ラ	イ	ア	ル	■	ス	ス
■	ベ	ル	■	ピ	ン	■	マ	ゲ	■	ミ
ク	リ	ス	マ	ス	■	ボ	タ	ン	エ	ビ
ジ	ョ	■	マ	ラ	ソ	ン	■	ブ	リ	■
■	ウ	タ	■	ズ	ウ	タ	イ	■	マ	メ
ト	リ	シ	マ	リ	■	イ	ワ	イ	キ	ン

35
ホ	ツ	ト	カ	ー	ペ	ツ	ト	■	コ	ア
ル	イ	■	リ	■	チ	ゲ	■	カ	タ	ク
モ	ン	ゴ	ウ	イ	カ	■	ニ	ル	イ	ダ
ン	■	ウ	ド	ン	■	シ	ゲ	キ	■	イ
■	ツ	ユ	■	コ	コ	ロ	ミ	■	ヒ	カ
シ	ョ	ウ	ユ	■	タ	■	チ	ヤ	バ	ン
タ	ビ	■	タ	キ	ツ	ケ	■	ミ	チ	■
ゴ	■	ダ	ン	ロ	■	シ	カ	ク	■	オ
シ	ヤ	ツ	ポ	■	デ	ン	キ	モ	ウ	フ
ラ	ク	ト	■	リ	ア	■	ス	■	タ	ク
エ	ミ	■	ツ	カ	イ	ス	テ	カ	イ	ロ

36
コ	ナ	ユ	キ	■	イ	■	ホ	ホ	エ	ミ
ガ	カ	■	タ	イ	ト	ル	■	ワ	ム	■
ラ	シ	ヤ	■	ゴ	シ	ン	タ	イ	■	ユ
シ	マ	シ	マ	■	ノ	バ	■	ト	ウ	キ
ミ	■	ツ	イ	ク	■	カ	ラ	■	ヤ	
サ	カ	バ	■	ブ	レ	ス	■	ブ	ル	マ
ツ	■	レ	ア	■	メ	ガ	ネ	■	サ	
ポ	ー	ン	■	ス	ン	■	コ	メ	ン	ト
ロ	■	タ	ビ	ジ	タ	ク	■	イ	チ	ロ
■	ハ	イ	■	コ	イ	ビ	ト	■	マ	イ
ゲ	レ	ン	デ	■	ン	■	サ	ザ	ン	カ

37
カ	リ	フ	ラ	ワ	ー	■	カ	サ	ゴ	
ツ	■	ラ	ン	シ	■	レ	モ	ン	■	キ
ヤ	リ	イ	カ	■	ナ	ゲ	■	ミ	カ	ン
ク	エ	■	ク	ル	マ	エ	ビ	■	サ	メ
■	キ	ス	■	イ	コ	■	オ	ラ	ン	ダ
ズ	■	イ	チ	ゴ	■	ナ	ラ	ク	■	イ
ワ	ケ	マ	エ	■	シ	バ	■	サ	サ	
イ	ゴ	■	ア	ブ	ラ	ナ	カ	■	ワ	ゴ
ガ	ン	カ	■	タ	コ	■	タ	イ	ラ	ギ
ニ	■	キ	ウ	イ	■	ツ	イ	シ	■	ヨ
■	サ	ヨ	リ	■	ホ	ウ	レ	ン	ソ	ウ

38
ク	ツ	シ	タ	■	キ	ス	ウ	■	ク	レ
ラ	■	ユ	ケ	ツ	■	キ	ヨ	ウ	カ	イ
シ	ワ	ス	■	ノ	エ	ル	■	ナ	イ	ト
ツ	■	イ	モ	■	ス	■	イ	ギ	■	ウ
ク	リ	■	ミ	セ	■	ラ	ブ	■	カ	コ
■	ボ	ケ	■	イ	エ	ス	■	オ	ー	
ベ	ン	■	ユ	ヤ	■	ト	カ	■	ド	ジ
ツ	■	タ	ミ	■	ギ	■	ネ	ム	■	ユ
レ	ツ	カ	■	シ	ン	プ	■	ネ	ダ	ン
ヘ	ブ	ラ	イ	ゴ	■	ロ	ウ	ヤ	■	イ
ム	ラ	■	ミ	ト	ン	■	タ	ケ	ウ	チ

39
ア	タ	ミ	■	ユ	モ	ト	■	ス	ノ	コ
イ	■	ミ	ツ	ド	■	メ	ハ	ナ	■	ウ
ス	ミ	■	ト	ウ	リ	ユ	ウ	■	ワ	セ
ラ	ツ	パ	■	フ	ユ	■	ス	ト	ー	ン
ン	■	ス	パ	■	ウ	シ	■	ウ	ス	■
ド	キ	■	フ	ツ	カ	ヨ	イ	■	ト	カ
■	シ	マ	■	ナ	ス	■	カ	サ	■	ン
ヒ	ヨ	ツ	コ	■	イ	ド	■	ユ	オ	ケ
デ	ク	■	フ	キ	ソ	ウ	ジ	■	ツ	ツ
ヨ	■	ゲ	ン	ソ	■	ト	ウ	ジ	■	セ
シ	ン	ロ	■	ジ	ゴ	ク	■	カ	ザ	ン

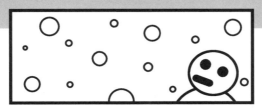

40

ユ	キ	マ	ツ	リ	■	ユ	キ	ア	カ	リ
キ	■	コ	ナ	ユ	キ	■	ス	イ	セ	ン
ヤ	マ	ト	■	ウ	■	ク	ウ	イ	■	ク
マ	ツ	■	タ	イ	セ	ツ	■	ロ	ハ	■
■	ユ	ウ	イ	■	イ	ロ	カ	■	ツ	ツ
ユ	キ	オ	ロ	シ	■	ギ	ン	セ	カ	イ
キ	ソ	■	ウ	ラ	ジ	■	ジ	メ	ン	■
■	ウ	ケ	■	ユ	キ	カ	キ	■	セ	ト
ケ	■	イ	シ	キ	■	チ	■	ク	ツ	ウ
イ	ヤ	ホ	ン	■	カ	マ	ク	ラ	■	ロ
ユ	キ	ウ	サ	ギ	■	ケ	ツ	シ	ヨ	ウ

41

ハ	ク	チ	ヨ	ウ	■	ユ	リ	カ	モ	メ
ク	シ	■	ビ	ミ	ヨ	ウ	■	キ	■	ジ
ビ	ヤ	ツ	コ	■	ツ	キ	ノ	ワ	グ	マ
シ	ミ	ン	■	ノ	ミ	■	ス	リ	■	グ
ン	■	ド	ヨ	ウ	■	ア	リ	■	シ	ロ
■	ハ	ラ	■	サ	ン	タ	■	サ	ル	■
カ	ブ	■	シ	ギ	■	リ	ガ	イ	■	タ
ン	■	シ	カ	■	カ	メ	■	ジ	イ	ン
ダ	ン	ネ	ツ	ザ	イ	■	ミ	ツ	バ	チ
チ	■	ラ	■	シ	ロ	ク	マ	■	シ	ヨ
メ	ダ	マ	ヤ	キ	■	ラ	イ	チ	ヨ	ウ

42

キ	ブ	ク	レ	■	ア	ン	カ	■	ミ	ミ
ン	■	セ	ツ	ブ	ン	■	シ	モ	ヤ	ケ
ロ	マ	ン	■	ヒ	ナ	タ	ボ	ツ	コ	■
ウ	ジ	■	ミ	ン	イ	■	ン	■	ジ	バ
カ	ン	ゴ	リ	■	キ	カ	■	ウ	マ	レ
ン	■	タ	ン	ポ	■	ド	テ	ラ	■	ン
シ	ヤ	ク	■	ジ	フ	■	イ	ド	バ	タ
ヤ	マ	■	ネ	■	ア	ツ	ギ	■	ツ	イ
■	ス	タ	ン	ダ	ー	ド	■	フ	ト	ン
カ	キ	ブ	ネ	■	ス	イ	ド	ウ	■	デ
ジ	ー	■	コ	ー	ト	■	マ	フ	ラ	ー

43

キ	セ	ツ	フ	ウ	■	レ	イ	カ	■	オ
ア	ン	■	ツ	ラ	ラ	■	シ	リ	ウ	ス
ツ	ト	メ	テ	■	ク	ジ	■	バ	■	マ
ハ	■	カ	ン	キ	■	ム	ツ	ラ	ボ	シ
イ	ゲ	タ	■	ノ	キ	■	イ	イ	ン	■
チ	ン	■	ブ	リ	オ	コ	シ	■	ク	コ
■	シ	ユ	ー	■	イ	ケ	■	プ	ラ	ハ
ヒ	ヨ	ウ	ケ	ツ	■	イ	ク	ラ	■	ル
イ	■	ア	■	ケ	ア	■	ウ	ス	ラ	ビ
ラ	ン	カ	ク	■	オ	ロ	シ	■	ジ	ヨ
ギ	■	リ	ゲ	ル	■	ハ	ツ	ゴ	オ	リ

まちがい探し

44

●●●新年●●●

45

ジ	ュ	ウ	バ	コ	■	マ	エ	ガ	シ	ラ
ゾ	ウ	ニ	■	コ	ナ	ス	ビ	■	ヨ	メ
ウ	リ	■	ク	ロ	マ	メ	■	ク	ク	
■	ス	バ	ス	■	ス	■	カ	モ	シ	カ
コ	ウ	イ	■	イ	■	ト	ソ	■	ユ	ズ
ブ	■	オ	セ	チ	リ	ョ	ウ	リ	■	ノ
マ	チ	■	ケ	バ	■	ス	■	カ	イ	コ
キ	ン	ト	ン	■	ヨ	■	タ	イ	ワ	
■	ド	ロ	■	ド	ウ	テ	イ	■	イ	イ
モ	ン	■	ダ	テ	マ	キ	■	サ	バ	ク
チ	ャ	バ	シ	ラ	■	ヤ	ツ	ガ	シ	ラ

46

オ	ウ	ミ	ジ	ン	グ	ウ	■	モ	シ	オ
オ	テ	ツ	キ	■	サ	イ	ギ	ョ	ウ	キ
エ	ン	■	ロ	ウ	ク	■	ボ	ウ	■	ノ
ヤ	■	ノ	ウ	シ	■	ナ	シ	■	セ	イ
マ	ク	ラ	■	ロ	テ	イ	■	カ	ミ	ン
■	ロ	マ	ン	ス	■	シ	ラ	タ	マ	
ワ	カ	メ	■	ガ	ラ	ン	■	シ	ル	シ
タ	ミ	■	カ	タ	■	ノ	ワ	キ	■	マ
ノ	■	メ	シ	■	ミ	ウ	タ	■	イ	ナ
ハ	ル	ノ	コ	コ	ロ	■	ド	ウ	ナ	ガ
ラ	ス	ト	■	マ	ク	ラ	ノ	ソ	ウ	シ

47

ハ	ツ	ワ	ラ	イ	■	ワ	タ	シ	バ	シ
シ	ャ	カ	■	チ	ン	カ	■	シ	イ	ン
ゴ	■	ミ	オ	リ	■	ナ	カ	■	ク	シ
ノ	ネ	ズ	ミ	■	ハ	ツ	ユ	メ	■	ユ
リ	ン	■	ク	イ	ツ	ミ	■	バ	ラ	ン
■	シ	ョ	ジ	■	シ	■	シ	ル	ク	
コ	ヨ	ミ	■	ハ	ゴ	イ	タ	■	ゴ	サ
マ	■	チ	ケ	ッ	ト	■	ガ	ス	カ	ン
マ	オ	■	ガ	マ	■	オ	キ	ナ	■	ガ
ワ	カ	ユ	■	イ	サ	ン	■	ハ	ツ	ニ
シ	メ	カ	ザ	リ	■	ダ	ル	マ	イ	チ

気持ちの上でだけ1年が経過した。